KB036141

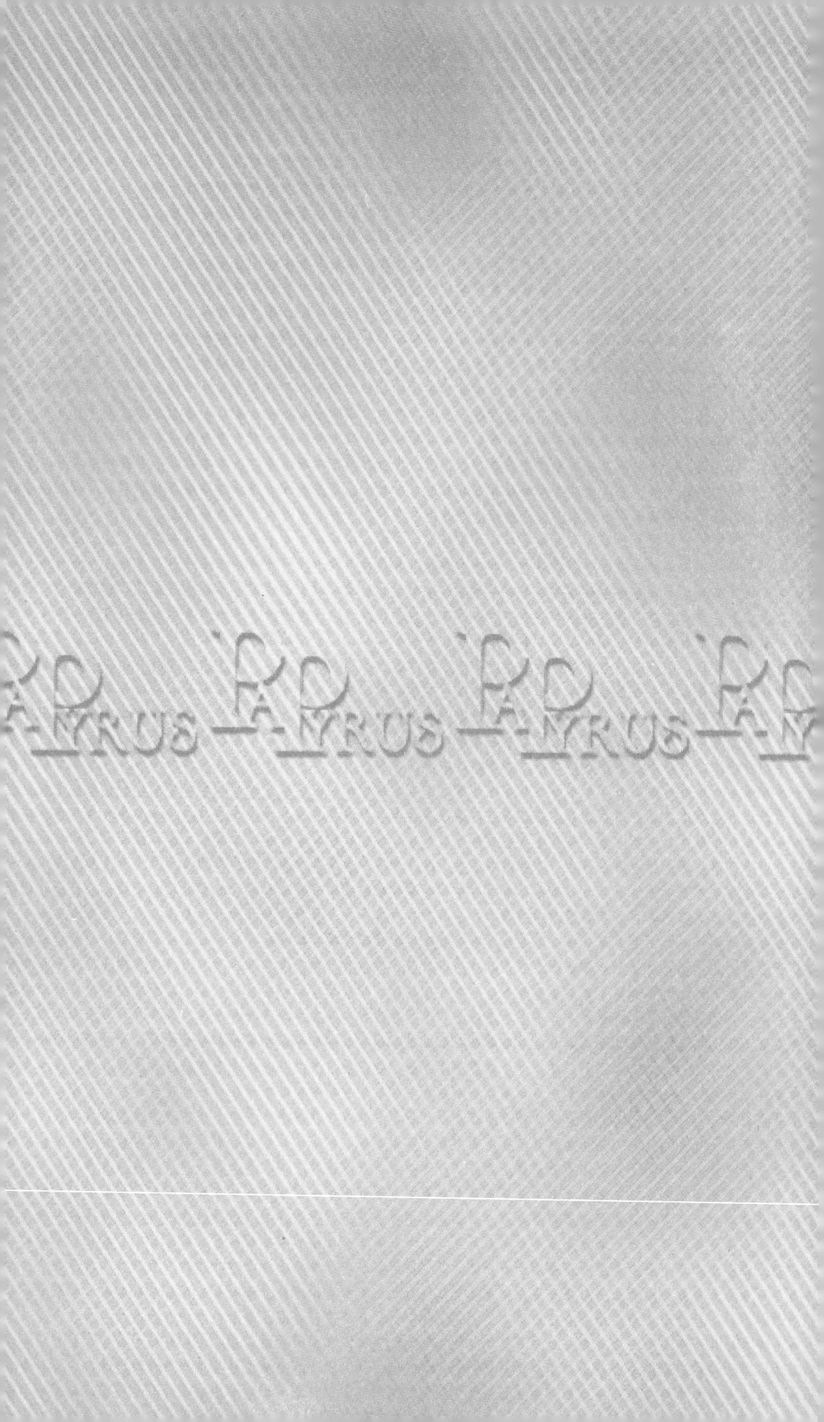

武林五賊
무림오적

무림오적 35

초판 1쇄 발행 2021년 10월 27일

지은이 ı 백야
발행인 ı 신현호
편집장 ı 이호준
편집부 ı 송영규 최종건 정재웅 양동훈 곽원호 조정범 강준석 최성화
편집디자인 ı 한방울
영업 · 관리 ı 김민원 조인희

펴낸곳 ı ㈜디앤씨미디어
등록 ı 2002년 4월 25일 제20-260호
주소 ı 서울시 구로구 디지털로 26길 111 JnK디지털타워 503호
전화 ı 02-333-2513(대표)
팩시밀리 ı 02-333-2514
E-mail ı papy_dnc@dncmedia.co.kr
블로그 ı blog.naver.com/gnpdl7

값 8,000원

ISBN 978-89-267-1883-4 04810
ISBN 978-89-267-3458-2 (SET)

백야 신무협 장편소설
PAPYRUS ORIENTAL FANTASY
35
무림오적
武林五賊
PAPYRUS
파피루스

1장.

일모탁천(一毛托天)

"어쨌든 가주가 살아 있었을 때는 진짜 그랬어요.
인장은 아무 소용 없는, 마치 나처럼 존재하되 존재의 의미가 없는,
그런 유명무실한 물건에 불과했죠."

1. 죽여도 될 것 같은데

철혈권마가 돌바닥에 내리꽂힐 때마다 바닥이 움푹 파이고 박살이 난 돌무더기들이 사방으로 빠르게 비산했다.

"어이쿠!"

문 옆에 서 있던 흑노는 암기처럼 날아드는 그 돌무더기를 황급히 피했다.

반면 자리에 앉아서 그 광경을 지켜보던 유령신마와 무상검마는 날아오는 돌무더기들을 파리 쫓듯 가볍게 쳐냈다.

돌바닥에 부딪힌 철혈권마의 얼굴은 형체를 알아볼 수

없을 정도로 뭉개질 것이다. 그의 오장육부는 자리를 이탈하고 뼈와 근육이 으스러질 것이다.

하지만 유령신마와 무상검마는 철혈권마가 마구 돌바닥 위로 패대기쳐지고 있음에도 불구하고 표정 하나 변하지 않은 채 잠자코 지켜보았다.

마치 이 정도로는 철혈권마가 죽거나 크게 다치지 않을 거라고 생각하는 듯했다.

아니나 다를까.

철혈권마는 속절없이 패대기를 당하는 와중에 천천히 손을 뻗어 위천옥의 손목을 붙잡고는 으스러뜨릴 것처럼 꽉 쥐었다.

순간 엄청난 악력이 위천옥의 손목에 가해졌다. 평범한 고수라면 그대로 손목이 부러질 정도의 강한 악력이었다.

철혈권마의 엄청난 내공이 실린 그 악력은 위천옥조차 견디기 힘들었다.

"젠장!"

위천옥은 욕설을 퍼부으며 철혈권마를 향해 발길질했다.

바로 그 순간, 철혈권마는 스스로 몸을 뒤집으며 위천옥의 양팔을 꺾었다. 한 발을 든 상태의 위천옥은 균형을 잃고 비틀거렸다.

아차, 하는 순간 두 팔이 꺾일 위험에 처하자 위천옥은 어쩔 수 없이 철혈권마를 따라 몸을 뒤집어야 했다. 그것으로 공수(攻守)가 역전되고 말았다.

허공에서 마구 패대기쳐졌던 철혈권마의 두 다리가 든든하게 바닥을 디디고 섰다. 반면 위천옥은 허공으로 몸이 붕 뜬 채, 철혈권마가 패대기를 치는 대로 돌바닥에 얼굴을 찧어야만 했다.

위천옥은 황급히 전신에 호신강기를 펼쳤다. 단단하면서도 투명한 보호막이 그의 전신을 휘감았다.

쾅! 쾅!

그 호신강기 덕분에 연거푸 위천옥의 얼굴이 지면에 내리꽂혔지만, 조금 전 철혈권마가 그러했듯이 조금의 피해도 입지 않았다.

'젠장! 저 늙은이도 지금 나처럼 호신강기로 몸을 보호한 걸 알아차렸어야 하는 건데!'

위천옥이 내심 이를 가는 순간이었다.

철혈권마는 위천옥의 양 손목을 붙잡고 힘껏 바닥에 내리치더니, 한순간 빠르게 몸을 돌려 위천옥의 등 뒤로 올라탔다. 그러고는 위천옥이 미처 반항할 틈도 주지 않은 채 그의 명문혈에 손을 대며 낮은 목소리로 말했다.

"이걸로 끝난 것 같은데?"

호신강기로 전신을 보호하고 있다고는 하지만, 철혈권

마의 내공이 실린 일격이라면 충분히 그 호신강기를 부수고 위천옥의 명문혈에 큰 타격을 줄 것이다.

명문혈은 사혈(死穴) 중의 사혈. 제대로 얻어맞으면 그대로 절명하게 되는 혈도 중의 한 곳이었다.

"이건 반칙이야!"

철혈권마를 등에 업은 채 돌바닥에 깔린 위천옥이 바락바락 악을 썼다.

"이건 비무도, 싸움도 아니라고! 마구 패대기치다가 미꾸라지처럼 등에 올라타는 법이 어디 있어? 제대로 주먹질을 하고 칼질을 해서 싸워야지!"

"패대기치는 건 너부터 하지 않았느냐?"

철혈권마는 묵직한 목소리로 말했다.

"그래, 물론 이걸로 너와 나의 내공과 무공이 어느 정도 차이가 나는지 알 수는 없을 것이다."

"당연하지! 그러니까 다시 싸……."

"하지만 싸우는 경험만큼은 확실히 차이가 난다는 건 확인할 수 있겠지. 그리고 강호에서의 싸움은 내공이나 무공보다 오히려 경륜과 경험의 차이로 그 승패가 갈라진다는 걸 이참에 알게 되었으면 좋겠구나."

"쳇. 알았어. 알겠다고! 강호에는 양 할아버지처럼 약삭빠르고 비열한 술수를 사용하는 자들이 많다는 거지? 내 똑똑히 기억해 둘게."

"허어."

철혈권마는 잠시 탄식하다가 자리에서 일어났다. 그러고는 위천옥을 돌아보지도 않은 채 천천히 제자리로 돌아갔다. 실로 위풍당당한 걸음걸이였으나 일순 그는 저도 모르게 비틀거리며 균형을 잃었다.

당연한 일이었다.

비록 패대기쳐지는 순간 호신강기를 끌어올려 얼굴과 몸을 보호했다고는 하지만, 그래도 위천옥이 수십 차례나 전력을 다해 돌바닥에 내리친 것이다.

이마가 돌바닥을 찧을 때마다 두개골과 뇌가 흔들릴 수밖에 없었고, 결국 머리가 핑 도는 듯한 현기증과 함께 몸의 균형을 잃고 말았다.

'빌어먹을 놈의 영감탱이!'

몸을 일으킨 위천옥은 악독한 눈빛으로 그 뒷모습을 지켜보다가 철혈권마가 비틀거리는 순간, 아무도 모르게 손을 들어 그의 등을 향해 뻗었다.

위천옥의 손바닥에서 보이지 않는 경기(勁氣)가 은밀하게 흘러나왔다.

무형무음(無形無音)의 절대강기(絕對罡氣)!

때마침 무상검마와 유령신마의 시야는 철혈권마에게 가려져 있었다. 철혈권마는 머리가 핑 도는 듯한 어지러움에 미처 등 뒤의 기척을 신경 쓰지 못했다.

그런 와중에 아무런 기척이 없이, 공기의 파동도 느껴지지 않는 무형의 기운이 스르륵, 위천옥의 손바닥에서 밀려 나가 철혈권마의 등에 닿았다.

그때였다.

"안 됩니다!"

흑노가 버럭 소리치며 일장을 휘둘렀다.

그의 강맹무비한 장력은 정확하게 위천옥의 무형의 강기를 후려쳤다.

쾅!

일순 굉음이 터지며 위천옥의 암습이 무산되었다.

하지만 흑노 역시 그 충격을 견디지 못하고 문에 부딪치며 나가떨어졌다.

"젠장!"

위천옥이 욕설을 퍼부으며 다시 철혈권마의 등을 향해 장력을 발출했다. 바로 그 순간이었다.

"어딜!"

"안 돼!"

무상검마와 유령신마가 동시에 몸을 날렸다.

무상검마의 신형이 순식간에 날아가더니, 그대로 위천옥의 가슴을 향해 일검을 날렸다.

그것은 하늘을 가르며 내리치는 벼락과도 같은 일격이었고, 오로지 철혈권마의 등을 노리던 위천옥은 미처 그 일격을 피할 수가 없었다.

위천옥의 눈이 처음으로 공포로 물들었다.

죽을지도 모른다. 죽을 수도 있겠다는 공포와 두려움의 눈빛이 그의 눈동자를 가득 메웠다.

무상검마의 검이 위천옥의 가슴을 찌르는 순간, 엇비슷하게 날아온 유령신마가 다짜고짜 발길질하며 그의 검을 걷어차려 했다.

일순 무상검마의 눈썹이 꿈틀거렸다.

이대로라면 위천옥의 심장을 꿰뚫을 수 있었지만 그래도 유령신마의 강력한 힘이 실린 발길질에 자신의 애검이 산산조각이 날 수도 있는 상황이었다.

무상검마는 살짝 검을 비틀며 유령신마의 발길질을 피했다. 그 바람에 위천옥의 심장을 찔러 가던 검의 궤적도 살짝 달라져서 아슬아슬하게 그의 어깨에 박혔다.

"윽."

예리한 검날이 자신의 어깨를 송곳처럼 파고들자 위천옥은 저도 모르게 얕은 신음을 흘렸다. 상처 부위에서 흘러나온 피가 위천옥의 상의를 빠른 속도로 붉게 물들였다.

위천옥은 힐끗 자신의 상의를 내려다보다가 문득 생각났다는 듯이 표독스러운 눈빛으로 흑노를 돌아보았다. 벽에 기댄 채 가쁜 숨을 몰아쉬고 있던 흑노는 그 무시무시한 눈빛에 그만 사색이 된 채 벌벌 떨었다.

한편 무상검마는 자신을 방해한 유령신마를 무심한 눈빛으로 돌아보았다. 유령신마는 그 무심한 눈빛이 자신을 힐난하는 것처럼 보였는지 서둘러 변명하듯 말했다.

"그래도 죽일 것까지는 없지 않소? 우리가 십여 년 이상을 애지중지 키운 아이가 아니오?"

무상검마는 무심한 어조로 말했다.

"이 아이는 양 형을 죽이려 들었소."

위천옥이 악을 썼다.

"그건 방금 전 양 할아버지에게 배운 수법이야! 치졸하고 비열한 수법! 그걸 피하지 못한 양 할아버지가 잘못이지, 절대 내 잘못이 아니라고!"

무상검마는 힐끗 위천옥을 바라보았다가 다시 유령신마를 돌아보며 말했다.

"죽여도 될 것 같은데."

유령신마는 저도 모르게 다급한 어조로 말했다.

"내가 책임지겠소. 책임지고 이 아이의 심성을 바꿔 놓겠소. 그러니 내 얼굴을 봐서라도 이 정도에서 멈춰 주시오."

"하지만 저 눈빛을 보시오. 심성이 바뀔 눈빛인지."

유령신마는 무상검마의 말에 위천옥에게로 시선을 돌렸다.

위천옥은 어둡고 격한 증오의 감정이 소용돌이치는 눈빛으로 무상검마를 노려보고 있었다.

살기와 악의로 가득 찬 시커먼 눈동자.

유령신마마저 오싹한 기분이 들 정도로 악취 가득 찬 눈빛이었다.

하지만 유령신마는 다시 한번 무상검마를 돌아보며 다급하게 말했다.

"모든 게 내 잘못이오. 내가 그를 잘못 키운 잘못이오. 오로지 내공과 무공의 성취에만 매달리는 바람에 이 아이의 성정은 제대로 신경 쓰지 못했소. 그러니 내게 한 번만 더 기회를 주시오. 이번에는 제대로, 이 아이를 가르쳐 보겠소. 가족을 소중히 여기고 수하를 아끼며 그들에게 존경을 받는 소공자가 될 수 있도록 만들어 보겠소. 그러니 부탁이오. 내게 한 번 더 기회를 주시오."

그는 빠르게 말하면서도 왜 자신이 지금 이렇게 위천옥을 위해 볼썽사나운 모습을 연출하고 있는지 이해하지 못했다. 그저 마치 손자의 목숨을 애원하는 할아버지처럼, 유령신마는 본능적으로 그렇게 부탁하고 또 애원하는 중이었다.

"그리합시다."

뒤쪽에서 철혈권마의 묵직한 목소리가 들려왔다. 사람들의 시선이 그에게로 향했다.

철혈권마는 아직도 어지럼이 가시지 않은 듯, 두 눈을 감은 채 말했다.

"갈 형이 책임진다 했으니 믿고 맡깁시다. 어쨌든 그 아이는 우리의 귀한 전력이니까 말이오."

철혈권마는 잠시 호흡을 가다듬은 후 흑노를 돌아보며 말했다.

"고맙네."

괜한 공치사가 아니었다. 확실히 흑노가 개입하지 않았더라면 철혈권마는 위천옥의 무형 강기로 인해 척추 뼈가 박살 난 채 아무렇게나 나동그라져 있었을 테니까.

흑노는 벌벌 떨며 말했다.

"사, 살려 주십시오."

철혈권마는 그 짧은 말에 담긴 의미를 충분히 이해했다는 듯이 고개를 끄덕이며 말했다.

"그래. 내가 자네를 거둬 주지."

"안 돼!"

위천옥이 벼락처럼 소리쳤다.

"그 늙은 자식은 내 거야! 누가 멋대로 가져간대? 그럴 수 없다고!"

"내 멋대로 가져갈 것이다."

철혈권마는 가볍게 한숨을 내쉬며 말을 이었다.

"어쨌든 저 아이의 처리를 갈 형에게 맡기겠소."

"고, 고맙소, 양 형."

유령신마는 진심으로 고마워했다.

무상검마는 잠시 두 노인을 지켜보고 있다가 다시 위천옥에게로 시선을 돌렸다. 눈이 마주치자 위천옥은 여전히 악독한 눈빛으로 무상검마를 쏘아보았다.

"조심해라."

무상검마는 그의 어깨에서 천천히 검을 빼며 말했다.

"내가 항상 널 지켜보고 있을 것이니."

위천옥은 고통을 참으려는 듯, 혹은 걷잡을 수 없이 끓어오르는 분노와 증오를 가라앉히려는 듯 입술을 힘껏 깨물고는 손을 들어 상처 부위를 지혈했다.

그러고는 이내 표정을 바꿔 싱긋 웃으며 말했다.

"나도 척 할아버지를 잘 지켜볼게. 등에 칼 맞지 않도록 말이야."

위천옥은 언제 죽일 듯이 노마들을 노려보았느냐는 것처럼 싱글거리는 낯으로 세 명의 노인을 한 명씩 돌아보며 말을 이어 나갔다.

"아, 그래. 양 할아버지도, 갈 할아버지도 똑같이 지켜봐 줄게. 낮이고 밤이고, 적들과 싸울 때나 아니면 동료들과 함께 술을 마실 때나 언제나 똑바로 지켜봐 줄게. 그러니까 안심해도 돼. 어쨌든 내가 지켜볼 때까지는 절대로 죽지 않을 테니까. 아니, 죽지 못할 테니까 말이야.

하하하하!"

그렇게 말하며 해맑게 웃는 위천옥은 지금껏 공적삼마가 봐 왔던 그 어떤 자들보다도 더 잔악하고 악랄한 눈빛을 하고 있었다.

세 노인은 저도 모르게 서로의 얼굴을 돌아보았다. 공적삼마의 얼굴에 서로 다른 느낌의 어두운 그림자가 천천히 내려앉고 있었다.

2. 인장(印章)

"허허허. 한 잔들 더 하시지요."

초일방은 멸절사태와 무정검왕에게 술을 권했다.

벌써 수십 개의 항아리가 비워졌지만 그들은 여전히 멀쩡하고 평온한 기색이었다.

"그래, 백팔원로회의 여론은 어떤 편이오?"

초일방은 술병을 건네며 은근슬쩍 물었다.

그러나 무정검왕은 무심한 얼굴로 술을 따랐고, 멸절사태는 무뚝뚝한 표정을 지은 채 아무런 대꾸도 하지 않았다.

초일방은 속으로 혀를 차며 투덜거렸다.

'하필이면 이 두 노인네들이 남아서…….'

차라리 구처자나 운룡신창이 남았더라면 굳이 초일방이 묻지 않더라도 그가 듣고 싶은 것들을 알아서 술술 이야기했을 것이다.

가령 아직도 태극천맹의 맹주 정문하가 오대가문과 척을 지고 싸우고자 하는지, 백팔원로회는 어느 쪽의 편을 드는지, 태극천맹 내부의 기류는 어떤지 등등에 대해서 시시콜콜 이야기를 해 줄 게 분명했다.

그러나 아쉽게도 멸절사태와 무정검왕은 백팔원로회의 노기인들 중에서 말이 없기로 유명한 인물들이었다.

어쩌면 정문하가 굳이 금해가의 행사에 이들 두 사람까지 딸려 보낸 건, 구처자나 운룡신창이 행여라도 쓸데없는 이야기를 하는 걸 방지하기 위함일지도 몰랐다.

'흠, 나중에 구처자와 운룡신창만 있는 자리에서 따로 물어봐야겠구나.'

초일방은 그렇게 생각하며 화제를 돌렸다.

"슬슬 돌아올 때가 된 것 같지 않소?"

멸절사태와 무정검왕이 술잔을 든 채 그를 바라보았다.

"교룡회에 간 사람들 말이오. 지금쯤이면 그 복면인들을 사로잡고 개선장군처럼 돌아올 때가 된 것 같다는 말씀이오."

"그렇군요."

멸절사태는 무표정한 얼굴로 그리 말했다. 반면 무정검왕은 별다른 말 없이 고개만 끄덕이고는 술잔을 비웠다. 정말이지 상대하기 힘든 인물들이었다.

그때였다. 문밖에서 총관의 목소리가 들려왔다.

"말씀 올려도 괜찮겠습니까?"

초일방의 얼굴이 환해졌다.

"허허. 호랑이도 제 말 하면 온다더니, 승전보가 날아든 모양이오."

그는 두 기인들을 돌아보며 이야기한 다음 웃는 낯으로 총관을 향해 말했다.

"무슨 일이냐?"

"철목가에서 급보가 날아들었습니다."

"음?"

초일방의 표정이 변했다.

"철목가에서? 급보라니?"

"봉랍(封蠟)에 철목가의 인장(印章)이 찍혀 있는 서찰입니다."

초일방의 얼굴이 딱딱하게 굳어졌다.

원래 오대가문의 인장은 함부로 사용하지 않았다. 가문의 인장은 곧 가주의 신표(信標)와 동일했다.

가령 소림사 장문인의 신표로 사용하는 녹옥불장(綠玉佛杖)이나 천왕가의 장문령부(掌門令符)인 천왕신계도

(天王神啓刀)와 동등한 위력과 신뢰를 주는 게 바로 가문의 인장이었다.

'정 가주가 무슨 일이지?'

초일방은 고개를 갸웃거렸다.

철목가주 정극신은 오만불손하다고 느껴질 정도로 자유분방하고 마음 내키는 대로 행동하며 예의범절을 따지지 않는 인물이었다.

그런 연유로 초일방과 오랜 벗인 까닭에 종종 서찰을 주고받았지만 단 한 번도 가주의 인장을 사용하여 봉랍한 서찰을 보낸 적이 없었다.

그런 정극신이 갑자기 가주의 인장으로 봉랍한 서찰을 급보로 보냈다?

분명 무슨 일이 벌어진 것이다. 그것도 아주 다급하고 위험하고 불안한 일이.

초일방은 낯을 굳힌 채 입을 열었다.

"어서 가지고 오라."

문이 열리고 총관이 들어섰다. 그는 허리를 굽힌 채 다가와 두 손으로 공손하게 서찰을 건넨 후 물러났다. 초일방이 서찰을 내려다보았다.

그때, 멸절사태가 헛기침을 하며 말했다.

"잠시 우리는 나가 있는 게 좋지 않을까 싶습니다만."

여인의 음성치고는 굵으면서도 카랑카랑한, 하지만 쇠

가 긁히는 것처럼 거친 금속성의 목소리였다.

"아, 아니오. 괜찮소이다. 이 서찰은 신경 쓰지 말고 술자리를 즐겨 주시오."

초일방은 어색하게 웃으며 그렇게 말한 후 천천히 봉랍을 뜯었다. 서찰 안에는 한 장의 종이가 들어 있었다. 초일방은 사뭇 떨리는 손길로 종이를 꺼내 읽어 내려갔다.

일순, 저도 모르게 초일방의 입에서 얕은 신음이 흘러나왔다.

"이런……."

순간적으로 그의 표정은 딱딱해졌고 안색은 흙빛이 되었다. 하지만 이내 초일방은 평온을 되찾고 고개를 설레설레 흔들며 미소를 지었다.

"허허. 겨우 이런 일로 인장까지 사용하다니, 평소의 정 가주답지 않은 행동이군그래."

그는 아무렇게나 종이를 다시 서찰에 넣은 다음 품에 갈무리했다. 그러고는 술잔을 들며 무정검왕과 멸절사태를 향해 말했다.

"자, 다들 한 잔 쭉 들이켭시다."

초일방은 목을 뒤로 젖히며 단숨에 술잔을 비웠다. 무정검왕과 멸절사태는 그런 초일방을 가만히 바라보았다. 초일방은 그들의 시선을 눈치채지 못한 듯 다시 술잔 가득 술을 따랐다. 마셔도 마셔도 목이 마르는 것 같았다.

그때였다. 조금 전 대청을 빠져나갔던 총관의 다급한 목소리가 다시 문밖에서 들려왔다.

"급보입니다!"

순간 초일방이 짜증 섞인 목소리로 물었다.

"무슨 일이냐?"

총관이 움찔하나 싶더니 조금은 낮아진 목소리로 대답했다.

"금룡회로 출정했던 장 소협과 세 분 어르신, 그리고 본가의 무사들이 돌아오는 중입니다."

"그런데?"

"그게…… 부상자들이 적지 않은 것 같습니다."

초일방은 눈살을 찌푸렸다.

"놈들이 그리 강했다는 게냐? 도대체 어떤 놈들이더냐?"

"그러니까 그게…… 모두 놓쳤다고 합니다."

"뭐야?"

초일방이 술잔으로 탁자를 내리쳤다. 술이 사방으로 튀었다. 멸절사태는 가늘게 눈을 찌푸렸지만 무정검왕은 여전히 무심한 표정이었다.

초일방은 이내 자신의 실수를 알아차리고는 가볍게 심호흡을 하며 마음을 진정시켰다.

'정 가주의 일로 내가 너무 이성을 잃은 것 같구나. 외인들이 있는 자리, 조금 더 침착해야겠다.'

초일방은 그렇게 마음을 되잡은 후, 총관을 향해 침착해진 목소리로 물었다.

"도대체 무슨 일이 있었던 게냐?"

"자세한 상황은 알 수 없습니다만 아군의 피해가 상당한 가운데 적들은 모두 놓친 모양입니다. 특히 교룡회의 구미호 구염마저 적들이 납치한 것 같습니다. 그나마 다행인 건 장 소협을 비롯해 모두 큰 부상을 입지는 않은 모양입니다."

"이런……."

초일방의 얼굴이 찌푸려졌다.

도대체 있을 수 없는 일이 벌어진 게다.

사실 초일방의 계획은 단순했고, 또 아주 쉽게 이룰 수 있었다. 무력은 상대에 비해 압도적으로 강했으며, 악양부는 어디까지나 금해가의 안마당이었다.

그저 태극천맹을 도와서 교룡회를 위기에서 구하고 그것으로 장백두의 이름을 드높이면 되는 일이었던 게다.

그런데 그걸 실패한 것이다.

교룡회의 실질적인 우두머리인 구미호 구염이 납치되었다. 아군은 상당한 피해를 입었다. 장백두는 이름을 떨치지 못했다.

불과 다섯 명밖에 되지 않는 적을 상대로 수백 명의 금해가, 태극천맹, 교룡회 무사들을 동원하고서 이렇게나 처참한 패배를 당한다는 것이 말이 되느냔 말이다.

갑자기 초일방의 눈앞이 핑 돌며 머리가 어지러웠다. 슬슬 후계자를 두고 가문의 일에서 은퇴하려던 그의 얼굴이 한순간에 십 년 이상이나 더 늙어 보였다.

초일방은 눈을 질끈 감았다.

'도대체 무슨 일이지?'

이해할 수 없었다.

있을 수 없는 일이 연거푸 두 번이나 이어졌다.

'정 가주가 비명횡사를 당했다는 것부터 있을 수 없는 일이었거늘…….'

초일방의 뇌리에 조금 전, 아무렇지도 않게 품에 갈무리했던 편지의 내용이 절로 떠올랐다.

철목가의 총관이 떨리는 필체로 써 내려간, 철목가주 정극신이 '무림오적'이라는 자들과 싸우다가 목숨을 잃었다는 그 비극적인 내용이 초일방의 머릿속에 한 자 한 자 새겨지고 있었다.

3. 잘못 생각한 건가?

전략(前略)…….

가주께서는 그렇게 목숨을 잃으셨습니다. 이후 속하는 남은 병력을 이끌고 성도부를 탈출하여 항주로 돌아왔으며, 곧바로 가모(家母)와 상의한 후 초 가주께 전해 드리는 중입니다.

거기까지 쓰던 철목가 총관 항조군은 잠시 붓을 멈추고 고개를 들었다.

그의 정면에는 온화하고 우아한 노부인(老婦人)이 앉아 있었는데, 그녀의 표정은 잔뜩 가라앉아 있었다.

항조군이 머뭇거리다가 입을 열었다.

"가모와 상의한 후 초 가주께 전해 드리는 중입니다, 라고 썼는데 그것보다는 도움을 요청한다는 식의 직접적인 표현이 더 낫지 않을까 싶습니다만."

노부인은 희미하게 미소를 지으며 말했다.

"항 총관이 알아서 쓰세요."

"알겠습니다."

항조군은 종이를 치우고 다시 글을 써 내려갔다.

전략(前略)…….

곧바로 가모와 상의한 후 초 가주께 도움을 요청하고자 이렇게 글을 쓰는 중입니다.

본 철목가가 새로운 가주를 옹립하고 내규를 바로잡고 내실을 강화, 모든 무력을 결집하는 동안 초 가주께서는 전대 가주와의 우정을 생각하시고, 또한 오대가문의 무한한 영광을 이어 간다는 점에서 다음 세 가지를 도와주셨으면 합니다.

항조군은 다시 붓을 멈췄다. 아무래도 말이 길어지고 있었다. 또한 조금 더 예를 갖춰야 하지 않을까 하는 생각도 들었다.

그의 이마에 땀이 맺혔다.

역시 한 가문을 대표하는 입장에서 타 가문의 도움을 요청하는 글을 쓴다는 건 결코 쉬운 일이 아니었다.

그것도 일개 총관이, 저 금해가의 가주에게 무려 세 가지씩이나 도움을 요청하는 글을 쓰는 건 확실히 불편하고 어색했다.

그런 항조군의 난감함을 눈치챈 것일까. 노부인이 빙긋 미소를 지으며 다독이듯 말했다.

"괜찮아요. 내가 읽고 재가를 내리게 되면 모든 책임은 곧 내가 지게 될 테니까요."

역시 우아하면서도 부드럽고 온화한 목소리였다. 확실히 노부인은 철목가의 가모다운, 정극신이 거느린 삼처오첩(三妻五妾) 중 대부인다운 품위를 지니고 있었다.

"그럼 읽으신 후 부족하거나 고칠 점이 있으면 말씀해 주십시오."

항조군은 그리 말한 후 일필휘지로 글을 써 내려갔다.

그가 금해가 초일방에게 원하는 도움 중, 철목가가 다

시 단단하게 결집하게 될 때까지 태극천맹과 오대가문의 영향력을 막아 달라는 게 첫 번째였다.

두 번째는 차기 가주를 옹립하는 와중에 행여 있을지 모르는 불상사를 막기 위해서 최절정고수 십여 명을 차출해 달라는 것이었으며, 마지막 세 번째는 새로운 가주가 제대로 기강을 세울 수 있도록 황금 오십만 냥을 빌려 달라는 것이었다.

항조군은 초일방의 안녕과 금해가의 건승을 기원한다는 말로 글을 마무리했다.

그는 잠시 망설이다가 자신의 이름과 직책을 써넣은 후 다시 그 아래에 가모의 이름을 적은 다음 노부인에게 건넸다.

노부인은 눈을 가늘게 뜬 채 천천히 편지의 내용을 읽고는 고개를 끄덕이며 말했다.

"좋네요. 이대로 봉랍하세요."

그녀는 자신의 소매에서 금합(金盒)을 꺼내 편지와 함께 항조군에게 건넸다.

항조군은 침을 꿀꺽 삼켰다.

금합에는 철목가를 상징하고 가주를 대표하는 인장이 들어 있을 것이다. 그 인장이 찍힌 종이는 곧 가주의 명령과 다름이 없었으니, 그 종이 한 장으로 철목가를 좌지우지할 수도 있었다.

항조군은 금합에서 인장을 꺼냈다. 그러고는 편지를 봉투에 넣은 다음 봉랍하고 그 위에 인장을 찍었다.

그는 다시 인장을 금합에 넣은 다음 공손하게 금합과 서찰을 노부인에게 건넸다.

노부인이 그것들을 갈무리하려다가 문득 피식 웃으며 입을 열었다.

"참 재미있지 않나요?"

항조군은 움찔거렸다. 그녀가 무슨 말을 하려는지 전혀 감을 잡을 수가 없었다.

"이 인장만 해도 그래요."

노부인은 갈무리하려던 금합을 내려다보며 혼잣말처럼 이야기했다.

"가주는 늘 본인이 곧 철목가라고 말씀하셨죠. 그래서 이런 인장 따위는 신외지물(身外之物)에 불과하다. 오직 내 말과 내 행동만이 철목가를 움직이고 지배한다고 말이에요. 그래서 가주는 아무 거리낌 없이 인장을 내게 맡긴 거고요."

항조군은 말없이 그저 고개를 숙인 채 그녀의 말에 귀를 기울였다.

"뭐, 물론 필요 없다는데도 굳이 내게 이 인장을 맡긴 건 그래도 아직 명색만큼은 내가 가모라고 인정하겠다는 의미였겠지만 말이에요."

노부인의 한숨 섞인 목소리에 항조군은 저도 모르게 입을 열었다.

"아닙니다. 누가 뭐라 해도 철목가의 가모는 오직 대부인뿐이십니다."

"고마워요."

노부인은 웃으며 다시 말을 이었다.

"어쨌든 가주가 살아 있었을 때는 진짜 그랬어요. 인장은 아무 소용 없는, 마치 나처럼 존재하되 존재의 의미가 없는, 그런 유명무실한 물건에 불과했죠."

"아닙……."

"그런데 지금 보세요. 그동안 전혀 쓸모없던 이 인장이 곧 철목가를 대표하게 되었잖아요?"

"네……."

"그리고 뒷방 늙은이처럼 시간과 세월만 좀먹던 내가 이렇게 철목가의 전권을 잡게 되었고요."

"그게……."

항조군은 '감축드립니다'라고 말을 해야 하는지, 하면 안 되는지 알 수가 없어서 그저 희미하게 말꼬리를 흐렸다.

노부인은 그런 항조군의 속마음을 이해한다는 듯이 빙긋 웃더니 문득 화제를 돌렸다.

"언제까지 그 사실을 숨길 수가 있죠?"

"네? 무슨 사실을……."

"가주가 죽었다는 사실 말이에요."

"아, 네. 그러니까…… 최선을 다한다면 그래도 석 달 정도는 강호에 소문이 퍼지지 않을 겁니다. 무림오적이라는 자들이 먼저 소문을 내지 않는 한 말입니다."

"아니, 내 질문은 그게 아니에요."

"네?"

"본가 사람들에게 언제까지 숨길 수 있느냐는 거죠."

"본가 사람들이요?"

"그래요."

노부인은 온화하게 웃으며 다정하게 말했다.

"내가 차기 가주의 자리를 확고하게 구축할 시간이 필요하거든요."

일순 항조군의 등골을 타고 소름이 내려앉았다. 그는 저도 모르게 마른침을 꿀꺽 삼켰다. 동시에 후회의 목소리가 저 깊은 곳에서 새어 나왔다.

'내가 잘못 생각한 건가?'

* * *

정극신의 시신과 패잔병을 이끌고 항주로 돌아오는 동안 항조군은 온갖 고민에 빠졌다.

봄이 되어 날씨가 점점 따뜻해지면서 정극신의 시신은 악취를 뿜으며 썩기 시작했다. 그리하여 항조군 일행이 항주 가까이 당도했을 때는 이미 그 원형을 보존하기 힘들 지경까지 이르렀다.

항조군의 고민은 더욱더 깊어졌다.

본가 수뇌부들에게 그렇게 썩어 문드러진 시신을 보여 준다면 사람들은 그게 정극신의 시신이라고 믿지 않을 것 같았다. 아니, 천하의 정극신이 살해된 것 자체를 믿지 않으려 할 게 분명했다.

자칫하다가는 어디서 거짓말을 고하느냐며 항조군이 모든 죄와 누명을 뒤집어쓸 가능성도 있었다.

항조군은 고민 끝에 정극신이 죽었다는 사실을 잠시 숨기기로 했다.

그리고 미모와 상대적으로 젊은 나이를 지닌 둘째 부인의 권력과 권세에 밀려 한적한 별채에 은거 중인 가모를 찾아가 오직 그녀에게만 사실을 밝히기로 했다.

하남 최고 명문가인 곽씨세가(郭氏世家)의 장녀로, 사십여 년 전 정극신에게 시집을 온 가모 곽부의(郭浮薏)에게는 아들이 하나 있었다.

하지만 불의의 사고로 아들은 목숨을 잃었고, 이후 그녀에게서는 더 이상 자식이 태어나지 않았다.

정극신은 죽은 아들의 유모와 정을 통하여 자식을 얻었

으니 바로 정유가 그였다. 정극신은 유모와 정유를 고성부로 쫓아냈고, 그가 성장할 때까지 한 번도 만나지 않았다.

이후 정극신은 서안의 최고 권력가의 딸을 둘째 부인으로 삼고, 항주의 호족인 온씨가문(溫氏家門)의 여식을 셋째 부인으로 삼아 그녀들로부터 세 명의 아들을 얻었다.

첫째가 장남 정균(鄭勻), 둘째가 차남 정국(鄭國)으로, 두 사람은 모두 온씨 부인의 아들이었고 막내 삼남 정환(鄭煥)만이 둘째 부인의 자식이었다.

그 세 아들은 정극신의 피를 그대로 이어받아서 하나같이 포악하고 오만불손했으며 안하무인인 성격을 지녔다.

그중 장남 정균이 그나마 어렸을 적부터 후계자 수업을 받아서 나름대로 형국을 판단하고 형세를 살필 줄 아는 인물이었다.

물론 항조군은 그 세 아들 모두 탐탁지 않았다. 만약 그가 차기 가주를 고를 수 있다면 태극천맹에서 굳건하게 자신의 입지를 다지고 있는 서자(庶子) 정유를 택했을 것이다.

그때 떠오른 사람이 가모 곽부의였다.

항조군은 곽부의에게 자식이 없다는 걸 기억해 냈다. 그리고 당연히 둘째 부인과 셋째 부인의 자식들을 송충이보다 더 싫어한다는 사실도 익히 잘 알고 있었다.

그랬다.

항조군은 그녀와 함께라면 능히 정유를 차기 가주로 옹립할 수 있을 거라는 생각이 들었다. 그래서 항주 본가로 돌아오자마자 그는 다른 모든 고위 인물들을 마다하고 제일 먼저 곽부의를 찾아갔던 것이다.

그런데 그 곽부의가 이렇게 나올 줄은 전혀 생각하지도 못했다.

하기야 오래전 정극신의 외면을 받고 부인들의 투쟁에서 밀려나 이미 삶과 권력과 야망에서 초연해진 줄 알았던 그녀가, 이렇게 새로운 가주의 야욕을 꿈꿀 줄은 아무리 항조군의 머리가 뛰어나다 할지라도 전혀 눈치챌 수가 없는 일이기는 하니까.

* * *

"한 달."

곽부의가 눈빛을 반짝이며 입을 열었다.

"한 달만 숨기세요."

항조군은 고개를 조아린 채 아무 말도 할 수가 없었다. 곽부의는 그런 항조군의 정수리를 내려다보며 말을 이었다.

"가주의 죽음을 아는 자는 모두 죽이세요. 심복들과 입을 맞추세요. 가주의 시신은 아무도 모르는 곳에 묻고,

오직 가주를 식별할 수 있는 증표만 챙겨 오세요. 그렇게 한 달의 시간만 번다면……."

곽부의는 여전히 온화하고 따스하며 우아한 미소를 머금으며 말했다.

"그때는 내가 차기 가주가 되어 있을 테니까요."

항조군은 그 어느 때보다도 심각하게 고민해야 했다. 이번에야말로 잘못 선택하여 함부로 입을 놀렸다가는 아무도 모르게 세상을 하직할 수가 있었으니까.

'일모탁천(一毛托天)이라…….'

항조군은 저도 모르게 인상을 찌푸렸다.

털 하나로 하늘을 받친다.

불가능한 일이나 있을 수 없는 일을 가리켜서 하는 말이다. 지금 곽부의는 그 일모탁천의 계획을 성사시키려 하고 있었다.

그 불가능한 일에, 있을 수 없는 일에 끼어들어야 하는 건지, 아니면 앞에서는 고개를 숙이고 뒤돌아서는 배신을 하는 게 옳은 건지 알 수가 없었다.

당연히 항조군의 고민은 깊고 또 길어질 수밖에 없었다.

곽부의는 인내심 깊게 항조군의 대답을 기다렸다.

하기야 수십 년 세월을 골방에 처박혀 지내 왔던 그녀였다. 그 외진 곳에서 무슨 생각을 하고 무슨 일을 하고 지냈을지는 모르겠지만, 어쨌든 그 수십 년 세월을 버티며 권토중래(捲土重來)를 노린 것 하나만으로도 그녀의 인내심이 얼마나 대단한지 알 수 있었다.

얼마나 시간이 흘렀을까.

항조군이 고개를 조아린 채 문득 입을 열었다.

"한 가지만 여쭙고 싶습니다."

"말씀해 보세요."

곽부의는 어디까지나 상냥하고 부드러운 미소를 머금은 채 말했다.

"정유 도련님에 대해서는 어찌 생각하고 계십니까?"

"정유?"

곽부의는 의아한 듯 고개를 갸웃거리다가 뒤늦게 생각났다는 듯이 "아, 그 아이……." 하면서 고개를 끄덕였다.

"그래요. 그런 아이가 있었네요."

이미 기억 속에서 지워진 지 오래였던 것처럼, 그녀는 눈을 가늘게 뜨며 말했다.

"내 아이의 유모와 간통하여 생긴 아이였죠. 그런데 왜요?"

"솔직히 말씀드리자면 가모께 오기 전까지는 그분을 차기 가주로 옹립하는 게 최선이지 않을까 싶었습니다."

"흠. 지금 그 아이가 어디 있죠?"

"태극천맹의 태극감찰밀의 부단주이십니다."

"아, 그런가요? 나쁘지 않네요. 서자 출신치고는."

'아…… 안 되겠구나.'

항조군은 속으로 한숨을 쉬었다.

곽부의. 그녀에게 있어서 정유는 아직까지도 존재하지 않는, 아니 존재해서는 안 되는 아이였던 것이다.

그렇게 항조군이 낙심하고 있을 때 곽부의가 고개를 끄덕이며 중얼거렸다.

"직접 만나 보지 않아서 성품이나 인성은 알 수가 없지만 태극천맹이 함부로 부단주라는 직책을 주지는 않았을 터, 나름대로 기재가 출중한가 보군요."

"그렇습니다. 외람된 말씀이지만 다른 세 분 도련님들보다는 몇 배나……."

"좋아요."

곽부의는 웃으며 말했다.

"그 아이와 자리를 주선해 주세요. 그리고 그 아이의 성정이 올바르고 나를 미워하지 않으며 본가를 증오하지 않는다면, 그리고 그가 진심으로 원한다면 그를 소가주로 임명하여 내 다음 대를 잇게 하겠어요."

항조군은 저도 모르게 침을 꿀꺽 삼켰다. 한 가닥 아쉬운 기색의 그의 얼굴을 스치고 지나갔다.

아닌 게 아니라 아쉬운 결정이었다. 당장 정유를 차기 가주로 옹립하고자 하는 게 항조군의 생각이었으니까.

하지만 다시 생각해 보면 차선의 결정이기도 했다. 곽부의에게 대권의 야욕이 있는 이상, 소가주 자리를 언급한 것만으로도 만족해야 할 일이었다. 그 이상을 바라는 건 확실히 항조군의 욕심이 분명했다.

사실 그녀가 약속을 지킬 것이냐 하는 부분은 또 다른 문제였다. 그리고 물론 지금 당장 논의하거나 고민할 문제가 아니기도 했다.

항조군은 조금 더 생각하다가 천천히 입을 열었다.

"어떻게든 한 달이라는 시간을 만들어 보겠습니다."

곽부의는 승리의 미소를 지으며 고개를 끄덕였다.

"고마워요, 항 총사(總師)."

항조군은 움찔거렸다.

자신도 모르는 사이에, 그리고 곽부의의 말 한마디로 인해 총관에서 총사로 승격된 것이다.

"감사합니다, 가주."

그렇게 말하며 고개를 숙이는 항조군의 얼굴은 한없이 굳어져 있었다.

2장.

면홍이적(面紅耳赤)

'그때 사 가주를 곤욕에 빠뜨렸던 자가 전직 포두라고 했었지?
사천 성도부의?'
상념이 거기까지 미치는 순간 초일방은 저도 모르고 탁자를 내리쳤다.

면홍이적(面紅耳赤)

1. 술안주에는

악양부 밤하늘에 깔린 먹구름은 점점 더 짙어지고 있었다. 아무래도 해가 뜰 무렵에는 한바탕 비가 쏟아질 것 같았다.

사위가 적막한 가운데 스산한 바람이 악양부 밤거리를 휩쓸고 지나갔다.

검은 신형 하나가 스산한 바람을 타고 거대한 야조처럼 밤하늘을 날고 있었다. 신형은 몇 번이나 지붕과 지붕을 타며 일직선으로 남천로(南天路)를 향해 날았다.

악양부 남쪽의 거리 중 하나인 남천로에 이르자, 신형은 어느 불 꺼진 건물 지붕 위에 천천히 내려섰다. 날아올 때와 마찬가지로 그의 움직임은 매끄러웠고 소음은 전혀 나지 않았다.

지붕 위에 안착한 신형은 주변을 둘러보다가 문득 눈빛을 반짝이더니 다시 한번 지붕을 박차고 날아올랐다. 그러고는 지금까지와 달리 골목길 안쪽으로 표표히 내려섰다.

"오셨어요?"

골목길 안쪽에서 여인의 달콤한 목소리가 들려왔다.

"다들 무사하오?"

신형은 묵직한 음성으로 되물었다.

"네. 다들 조금도 다치지 않았어요."

여인의 대답을 들으며 신형은 어둠에 잠겨 있는 골목길 깊은 곳으로 걸음을 옮겼다.

그곳에는 한 명의 노인과 두 명의 청년, 그리고 두 명의 여인이 있었다. 그들은 다름 아닌 화군악 일행이었고, 검은 신형은 가장 늦게 교룡회를 빠져나온 담우천이었다.

담우천은 힐끗 골목길 안쪽의 건물을 올려다보며 입을 열었다.

"왜 이곳으로 바꾼 거지?"

화군악이 어깨를 으쓱거리며 말했다.

"이 녀석을 고문하려면 아무래도 일반 객잔보다 나을 것 같아서요."

"하지만 우리들의 행적이 십삼매에게 들킬 수도 있잖은가?"

"어쩔 수 없어요. 이렇게나 큰 사달을 일으켰는데 악양부 황계 사람들이 눈치채지 못할 리가 없으니까요."

"흐음, 그건 또 그렇군."

"그러니까 이왕 들통난 김에 아예 당당하게 그들 앞에 나서는 겁니다. 또 그들에게 편의도 구하고 말이죠."

화군악의 이야기는 일리가 있었다.

담우천은 고개를 끄덕인 후 바닥에 아무렇게나 내버려 둔 여인에게로 시선을 돌렸다. 장예추에 의해 마혈을 제압당한 구미호 구염이었다.

"굳이 이렇게까지 납치를 하지 않더라도, 이 여인이 오룡두를 해치운 건 명약관화한 사실이 아닐까 싶은데. 따로 고문을 할 필요까지 있을까?"

"글쎄요. 그건 유 사부께서 결정하실 일이라서요."

화군악은 유 노대를 돌아보며 말했다.

유 노대의 낯빛은 썩 좋지 않았다. 아무래도 이번 일이 이렇게 번잡하고 걷잡을 수 없이 커진 상황에 대해서 상당한 부담감을 느끼는 모양이었다.

"괜한 내 오지랖 때문에 여러 사람에게 피해를 주는구먼. 이것 참, 정말 미안하네."

유 노대의 사과에 장예추가 손사래를 치며 말했다.

"그런 말씀 마시라니까요."

화군악이 씨웃 웃으며 말을 받았다.

"미안하시면 나중에 한 턱 크게 쏘면 돼요. 아, 소림사의 대환단 같은 걸 쏘시라는 겁니다. 괜히 돼지고기 생각하지 마시고요."

"허어."

유 노대가 어이없다는 표정을 지었다. 화군악의 너스레 덕분이었을까, 유 노대의 얼굴에 안개처럼 덮여 있던 어두운 그림자가 사라졌다.

화군악이 어깨를 으쓱거리며 말했다.

"어쨌든 지금 중요한 건 후회가 아니라 앞으로의 일이니까요. 우선 이곳의 주인장을 깨워서 안가(安家)를 부탁해 보죠."

말을 마친 화군악은 가볍게 담장을 뛰어넘었다. 사람들이 곧 그 뒤를 따라 담을 넘었다. 장예추도 다시 구미호를 안아 들고는 훌쩍 담을 넘었다.

골목길 안쪽, 어둠 속에 웅크리고 있던 삼 층 건물은 악양부 남천로에서 음식이 맛있고 숙소가 깨끗하기로 제법 유명한 대복객잔(大福客棧)이었다.

화군악 일행이 담을 넘은 곳은 대복객잔의 뒷마당이었다. 워낙 야심한 시각이라 인적은 끊겼고, 사위는 풀벌레 소리 하나 들리지 않을 정도로 조용했다.

화군악은 선두에 서서 대복객잔의 후문으로 발걸음을 옮겼다. 화군악은 장예추의 도움을 받아 잠겨 있던 후문을 가볍게 열고 건물 안쪽으로 들어섰다.

주방과 창고 사이에 난 복도를 따라 걸어가자 넓은 객청이 모습을 드러냈다. 한쪽으로 밀어 둔 탁자들 위에는 걸상들이 차곡차곡 쌓여 있었다.

화군악은 마치 이곳 대복객잔의 주인처럼 거침없이 움직였다. 구석진 곳의 탁자 하나를 끌어다가 걸상을 내려놓은 다음 화등잔을 찾아 불을 밝혔다.

사람들이 하나둘씩 걸상에 걸터앉았다.

장예추는 독사처럼 날카로운 눈빛으로 자신을 노려보는 구미호를 바닥에 내려놓으려다가 문득 생각을 바꿔 그녀의 수혈(睡穴)을 짚었다.

이내 구미호의 눈이 스르륵 감기자, 장예추는 조심스레 그녀를 내려놓았다.

그러는 동안 화군악은 주고(酒庫)를 찾아가 술 항아리를 들고나왔으며, 거기에다가 인원수에 맞춰 술잔까지 챙겨 왔다. 그러고는 주방에 들어가 뭔가 부스럭거리며 찾더니 나물 반찬 몇 가지를 찾아서 가지고 왔다.

"술안주로는 고기보다 좋은 게 나물 반찬이라고 하더라고요."

화군악은 얼굴을 가린 손수건을 풀며 웃었다. 유 노대

도 손수건을 풀며 말했다.

“하기야 맛있게 버무린 나물은 돼지고기보다 맛있으니까.”

“그렇죠?”

화군악은 싱글거리며 술 항아리의 봉인을 뜯었다. 향긋한 주향이 순식간에 객청에 퍼졌다. 유 노대가 코를 킁킁거리며 감탄했다.

“아주 제대로 숙성된 죽엽청이군그래.”

“원래 이곳 대복객잔이 술과 음식, 별채로 유명하거든요.”

화군악이 술 항아리를 들고 대접에 술을 따르며 말할 때였다.

“하하하. 누군가 했더니 화 공자가 아닌가?”

갑자기 이 층 계단에서 묵직한 웃음소리가 들려왔다.

하지만 화군악들은 미리 알고 있었다는 듯이 전혀 놀란 기색 없이 소리가 들려온 곳으로 시선을 돌렸다.

계단 중앙에서부터 이 층까지, 십여 명의 사내들이 칼을 쥔 채 객청을 주시하고 있었다.

화군악은 십여 명의 사내들 중 선두에 선 초로(初老)의 중늙은이를 보고는 활짝 웃으며 말했다.

“와아. 그새 많이 늙으셨습니다, 숭 지부주.”

“안 그래도 올해 들어서 흰머리가 부쩍 늘었다네.”

초로의 중늙은이가 껄껄 웃으며 계단을 내려왔다. 뒤에 있던 무리들도 적이 아니라는 걸 알고는 칼을 거둬들였다.

탁자 앞에 이른 중늙은이는 손을 모으며 사람들에게 인사했다.

"황계 악양 지부의 책임을 맡고 있는 숭천웅(崇天雄)이 여러 영웅께 인사드리오."

오십 대 초중반의 중늙은이는 우렁우렁한 목소리로 자신을 소개했다. 화군악 일행도 유 노대부터 시작하여 장예추까지 자신들의 이름을 밝혔다.

그들의 이름을 듣는 순간 숭천웅의 눈이 휘둥그레졌다. 그는 감격스럽다는 표정을 지으며 눈물까지 글썽이는 눈으로 사람들을 둘러보며 말했다.

"무림오적 중 세 명의 영웅을 한꺼번에 뵙다니, 정말 영광이외다. 잘 오셨소이다. 뭣들 하느냐, 얼른 술과 고기를 대령하지 않고!"

숭천웅은 수하들, 아니 점소이와 숙수들을 둘러보며 소리쳤다. 그러고는 다시 화군악과 장예추, 담우천을 돌아보며 활짝 웃었다.

"사천에서 예까지 먼 길을 행차하셨으니 며칠 푹 쉬다 가십시오."

그의 진심으로 감격하고 환영하는 사람들에서 제외된 듯한 유 노대와 나찰염요는 쓴웃음을 흘렸다.

하기야 자신들을 "유 노대라 하오."라든가 "이 이의 안사람이에요."라고 소개한 유 노대와 나찰염요의 잘못이 없지는 않았다.

어쨌든 객청은 갑자기 시끌벅적해졌고 이내 거한 술판이 벌어졌다.

화군악과 숭천웅의 인연은 수년 전, 화군악이 지저갱에 잠입하여 야래향과 빙혼마고들을 탈출시켰던 바로 그때 시작되었다.

금해가와 태극천맹, 그리고 지저갱의 고수들까지 합세한 연합군에 쫓기던 화군악 일행을 숨겨 주고 도피시킨 이가 바로 숭천웅이었고, 불과 그 하루 이틀 사이에 두 사람의 사이는 꽤 가까워졌다.

그 인연으로 인해 오륙 년 만의 재회였지만 두 사람은 마치 부자(父子)처럼 친근하고 다정하게 이야기를 나눌 수 있었던 것이다.

숙수들이 지지고 볶은 고기 요리들이 줄지어 탁자 위로 날라졌다. 이내 한 상 가득 푸짐한 요리들이 잔칫상처럼 차려졌다.

어제부터 제대로 먹지 못하고 혈전(血戰)을 벌인 사람들의 배에서 절로 꾸르륵 소리가 들려왔다. 화군악을 필두로 사람들은 두 손에 기름을 묻혀 가며 연신 고기를 뜯고 씹으며 마음껏 먹기 시작했다.

"역시 고기가 최고야."

화군악이 술을 콸콸 따르며 말했다.

"누가 뭐라고 해도 술에는 고기 안주가 으뜸이지."

단숨에 술잔을 비우고 활짝 웃는 그의 입가에는 기름이 번들거렸다.

장예추가 쓴웃음을 흘리면서 고기 한 점을 집어 먹었다. 확실히 요리에 일가견이 있다는 정평이 나 있는 객잔답게 불향 가득 구운 고기는 쫄깃쫄깃했으며 찐 고기는 씹자마자 사르륵 입에서 녹았다.

아닌 게 아니라 확실히 고기가 최고였다.

숭천웅은 흐뭇한 눈길로 사람들이 술을 마시고 고기를 먹는 모습을 지켜보다가, 뒤늦게야 마룻바닥에 내팽개쳐진 여인의 존재를 인식하고는 눈을 휘둥그레 뜨며 입을 열었다.

"응? 이 여인은 교룡회의 구미호가 아닙니까?"

일순 화군악 일행의 동작이 순간적으로 멈춰졌다. 그들의 얼굴에 각자 다른 표정이 떠오를 때, 화군악은 별일 아니라는 투로 웃으며 말했다.

"아, 잠깐 일이 있어서 잡아 왔어요."

"응? 교룡회 본산에서?"

숭천웅이 흠칫 놀라는 순간 점소이 한 명이 그에게 다가와 조심스레 귓속말을 건네자 숭천웅의 안색이 변했다.

가만히 지켜보던 화군악이 피식 웃더니 고개를 설레설레 흔들며 말했다.

"뭐야? 오륙 년 사이에 너무 나태해진 것 아닌가요? 이제야 우리 소식이 전해지다니요."

점소이가 승천웅에게 건넨 귀엣말은 바로 조금 전 교룡회에서 일어난 전투에 관한 내용이었다.

"음? 다 들렸나?"

"그럼요. 이렇게 가까운 거리에서 하는 이야기인데, 우리 중에서 그 정도 귓속말을 엿듣지 못할 사람은 아무도 없다고요."

"으음."

승천웅은 살짝 놀란 눈빛으로 화군악 일행을 돌아보았다. 그때 화군악이 문득 정색하며 입을 열었다.

"자세한 이야기는 나중에 할 테니 먼저 안가부터 알아봐 주세요. 이 여인을 마음껏 고문해도 괜찮을 정도로 한적한 곳으로 말이에요."

일순 승천웅의 얼굴이 딱딱하게 굳어졌다.

2. 그건 아닌 것 같은데

"죄송합니다."

장백두는 오른팔 전체를 하얀 천으로 칭칭 동여맨 채 허리를 숙였다.

"제가 부족한 탓에 놈들을 모두 놓쳤습니다."

초일방은 내심 혀를 찼다. 하지만 겉으로는 부드럽게 웃으며 장백두를 위로했다.

"그게 어찌 네 탓이겠느냐? 놈들의 무위가 생각보다 훨씬 고강했을 뿐이다."

초일방은 힐끗 구처자와 홍염철검, 운룡신창을 돌아보며 말을 이었다.

"명성 자자한 태극천맹의 원로회분들조차 어쩌지 못한 작자들이다. 그러니 너무 자책하지 않아도 된다."

그게 비아냥으로 들렸던 모양이었다. 홍염철검이 가볍게 눈살을 찌푸리며 입을 열었다.

"미안하외다. 우리의 실력이 미천하기 그지없는 바람에 초 방주의 뜻을 따르지 못했구려."

"아니, 무슨 말씀을 또 그리하십니까?"

초일방이 웃는 낯으로 말했다.

"이 젊은 아이가 너무 자책하는 것 같아서 세 분을 예로 든 것뿐이오. 귀하들께 책임을 묻고자 하는 게 아니니 전혀 곡해하지 않으셨으면 좋겠소이다."

"허허. 그 말씀부터 우리의 책임을 묻겠다고 들리는 건 노부가 너무 속이 좁은 탓이겠죠?"

"이런. 미안하외다. 내가 워낙 말주변이 없어서 자꾸만 오해를 부르는 것 같소이다."

초일방은 정색하며 말했다.

"분명하게 말씀드리겠소. 이번 사태의 책임은 오롯이 내게 있소이다. 저들을 우습게 여기고 간단하게 제압할 거라고 생각한 내 오만함이 불러온 참극이오. 그러니 자책이든 비아냥이든 모두 그만들 하시고, 차후 대책에 대해서 논의하기로 합시다."

초일방이 두 손을 모으며 그렇게까지 말하자 홍염철검도 노기를 거둬들인 후 진중한 음색으로 말했다.

"노부 또한 사과하겠소. 확실히 우리 모두 그자들을 경시한 잘못이 매우 크다 할 수 있소이다."

홍염철검은 당시의 상황이 떠올랐는지 저도 모르게 고개를 설레설레 흔들며 말을 이어 나갔다.

"다섯 명 모두 하나같이 고강한 무공의 소유자들이었소. 하지만 그중에서도 우리가 상대한 중년인은…… 뭐랄까, 우리 셋을 상대로 싸우면서도 전혀 기죽지 않은, 외려 우리가 그자의 기세에 눌리는 듯한 기분이 들 정도로 막강한 무위를 지니고 있었소."

운룡신창이 고개를 끄덕이며 말을 받았다.

"무위도 무위이거니와, 무엇보다 그자의 검이 공포스러웠소이다. 내 창은 물론이고, 마 형의 철검까지 반으로 갈라 놓았으니 말이오."

그 말에 홍염철검이 자신의 애검을 꺼내 탁자 위에 올려놓았다. 일순 그 검을 본 장내 모든 인물의 눈에는 경악의 빛이 떠올랐다.

"허어, 믿을 수 없소이다."

초일방이 침을 꿀꺽 삼키며 말했다.

"이런 모양은 난생처음 보았소. 도대체 어떤 검이기에 이렇게 만들 수 있단 말이오?"

어디 초일방뿐이겠는가. 멸절사태나 검의 제왕(帝王)이라 불리는 무정검왕 또한 생전 처음 보는 검의 모양새에 절로 두 눈이 휘둥그레졌다.

검극부터 시작하여 손잡이 부위까지 정확하게 반으로 갈라진 검신(劍身). 마치 대나무를 위에서 아래로 벤 듯한 모습은 실로 충격적이었다.

"아마도 거궐이 아닐까 싶었소. 베인 단면을 보면 좁쌀보다 작은 구멍이 송송 뚫려 있는 것이, 저 전설의 거궐에 대한 설명과 일치하고 있소이다."

홍엄철검의 설명에 사람들은 다시 한번 놀라야 했다.

"거궐이라니?"

"세상에, 거궐이라는 검이 실존했다는 말이오?"

그때였다. 잠자코 한쪽에 앉아 있던 장백두가 끼어들 듯 입을 열었다.

"저와 송 지부주 역시 신병이기(神兵利器)에 당했습니다. 송 지부주의 거치도는 원숭이의 검에 박살이 났으며, 제 애검도 단 한 번의 부딪침으로 산산조각이 났습니다."

초일방은 잠시 생각하다가 물었다.

"송 지부주는 어디 있느냐?"

"그게……."

장백두는 살짝 망설이다가 대답했다.

"놈들 중 한 명이 비겁하게 암기를 사용하는 바람에…… 그 암기에 격중당해 혼절한 상태입니다."

"혼절?"

초일방이 고개를 갸웃거렸다.

"암기에 맞았는데 혼절이라니, 설마 그 암기에 독이 아니라 미혼약이 발라진 게더냐?"

"그, 그렇습니다. 금해가 약당 사람들 말로는 미혼제에 중독되었다고 했습니다."

"허어."

초일방은 어이가 없다는 표정을 지으며 중얼거렸다.

"독이 아니라 미혼약이라니…… 그렇다면 처음부터 살생의 의지는 거의 없었다는 뜻이 되는데."

"그렇소이다."

듣고 있던 홍염철검이 고개를 끄덕이며 말을 받았다.

"놈들은 살수를 펼치는 데 저어함이 있었소이다. 그들

의 공격에 쓰러진 자들 대부분 혈도를 제압당했고, 죽거나 크게 다친 자는 그리 많지 않았소."

"흠, 이야기를 들으면 들을수록 그들의 정체와 목적을 알 수 없구려. 손속에 정을 둔 걸 보면 사마외도의 인물들은 아닌 것 같은데, 태극천맹과 본가의 무사들을 보고도 물러나지 않고 싸운 걸 보면 또 그건 아닌 듯하기도 하고……."

"목적이라면 역시 교룡회에 있었던 것 같습니다."

장백두가 다시 끼어들었다.

"그렇지 않고서야 교룡회의 여인을 납치할 리가 없으니까요. 그녀에게서 전대 회주의 죽음에 관한 사실을 밝혀내려는 게 결국 그들의 목적일 겁니다. 설마하니 그녀를 겁탈할 목적으로 납치할 리는 없으니까 말입니다."

겁탈이라는 단어에 정파의 노기인들은 저도 모르게 눈살을 찌푸렸다. 하지만 장백두는 개의치 않고 계속해서 말을 이어 나갔다.

"그리고 놈들에게 혈도를 제압당한 자들 대부분은 교룡회의 하급 무사들입니다. 태극천맹이나 금해가의 정예 무사들을 상대로 그렇게까지 여유를 부릴 수는 없었는지, 아니면 애당초 우리들에게 악감정을 가지고 있었는지 죽거나 상당히 중한 부상을 당한 이들 대부분 우리 무사들이었습니다."

말 한마디 없이 가만히 듣고만 있던 멸절사태와 무정검

왕은 살짝 인상을 찡그렸다. 장백두가 교묘하게 저들을 악당으로, 태극천맹이나 금해가와 원한이 있는 자들로 묘사하고 있다는 걸 느낀 까닭이었다.

초일방도 그런 느낌을 받았는지 눈살을 찌푸리며 물었다.

"그럼 지금 자네는 그들이 우리에게 악감정을 가지고 있다고 생각하나?"

장백두는 태연하게 말했다.

"아닙니다. 그걸 어찌 확신할 수가 있겠습니까? 단지 놈들의 행태를 보아서 그렇게 추측할 수도 있다고 말씀드린 것뿐입니다."

"흠."

초일방은 마땅치 않다는 표정을 지으며 다시 홍염철검을 돌아보며 물었다.

"그들의 검은 그렇다 치고, 무위는 어떻소?"

"강하더이다."

홍염철검은 심각한 표정을 지으며 말했다.

"솔직히 말씀드리자면, 그 검이 아니더라도 과연 그를 이길 수 있을까 하는 생각이 들었소이다. 그자의 검은 빠르면서도 무거웠고, 날카로우면서도 섬세해서 찰나의 빈틈을 놓치지 않고 맹렬하게 파고들더이다."

홍염철검은 고개를 설레설레 흔들었다.

검법에 관한 이야기가 나오자 무정검왕의 눈빛이 반짝

였다. 아무리 무정하고 무심하다 하더라도 호기심만큼은 어쩔 수 없는 듯 보였다.

홍염철검의 이야기가 계속 이어졌다.

“그자가 전력을 다해 싸우기보다는 우리를 물러서게 하고 도주하는 데 중점을 두었기 때문에 별다른 부상을 입지 않고 끝났다고 해도 과언이 아니오.”

“음, 물론 그런 면도 없지는 않지만 애당초 우리가 기습을 당한 게 크다고 생각하오.”

구처자가 홍염철검의 말에 동의할 수 없다는 듯이 말을 꺼냈다.

“놈의 그 기상천외한 보법에 잠깐 혼란에 빠진 상황에서 놈의 그 보검의 위력에 당했던 것이오. 만약 일대일의 정면 승부였다면, 그리고 놈의 보법과 보검의 위력에 대해서 알게 된 지금의 승부라면 나는 결코 놈에게 질 생각이 없소.”

홍염철검이 반론을 펼치려다가 입을 다물었다.

그는 이미 한 번 패하다시피 한 상황에서 다시 만나면 이길 수 있느니 뭐니 하는 건, 패자의 부끄럽고 씁쓸한 변명에 불과하다고 생각했다.

하지만 그렇다고 해서 굳이 자신의 동료인 구처자의 자존심과 체면을 뭉갤 것까지는 없다는 판단에 입을 다문 것이다.

하지만 무정검왕은 달랐다. 그는 무심하고 차분한 어조

로 말했다.

"글쎄. 그건 아닌 것 같은데."

무정검왕의 말에 사람들이 모두 그를 돌아보았다. 구처자가 눈살을 찌푸리며 물었다.

"그게 무슨 뜻이오? 놈에게 질 수 없다는 내 말이 아니라는 뜻이오? 내가 놈에게 이길 수 없다는 말씀이시오?"

구처자는 말을 하는 도중에 격정이 치밀어 오른 듯 격한 목소리로 말을 이어 나갔다.

"무슨 뜻인지 제대로 말씀하지 않으면 아무리 무정검왕이라 하더라도 좌시하지 않을 것이오!"

"흠."

무정검왕은 대답 대신 그들을 둘러보다가 문득 장백두의 허리춤에 있는 검을 보고 다시 입을 열었다.

"그대는 그 검으로 나를 공격해 보게."

자신의 애검이 박살 난 후 수하의 검을 빌려 착용하고 있던 장백두는 느닷없는 무정검왕의 말에 살짝 당황하는 표정을 지었다.

무정검왕이 천천히 자리에서 일어나며 두 팔을 벌렸다.

"전력을 다하게."

어리둥절한 와중에도 장백두는 내심 호승심이 끓어올랐다.

상대는 검에 관한 한 세상에서 가장 강하다는 검왕이었

다. 모름지기 검을 무기로 삼은 자에게 있어서 존경의 대상이자 경원과 흠모의 대상이기도 하며, 반드시 넘어야 할 산이 되는 자. 그가 바로 무정검왕이었다.

그런 검왕을 상대로 전력을 다해 싸울 기회가 생겼으니 이 어찌 흥분되지 않을 수 있겠는가.

"그럼 실례를 범하겠습니다."

장백두는 검을 빼 들며 말했다.

"제 애검이 아닌지라 손에 익지 않아서 실수를 범할 수도 있으니 양해 바랍니다."

"상관없네."

여전히 무정검왕은 검을 들지 않고 아무런 준비 동작도 취하지 않은 채 말했다. 장백두의 호승심이 부글부글 끓어올랐다.

'흥! 아무리 검왕이라고는 하지만 너무 날 우습게 보시는 것 같습니다!'

오기와 분기가 뒤섞인 눈빛이 쏘아지는 가운데, 장백두가 벼락처럼 외쳤다.

"그럼 조심하십시오!"

말보다 빠른 도약과 출수!

말이 끝나기도 전에 이미 장백두는 바닥을 박차며 무정검왕의 가슴팍을 향해 뛰어들었고, 어느새 빼든 그의 검이 정확하게 무정검왕의 목젖을 꿰뚫고 있었다.

그야말로 눈부실 정도로 맹렬하고 쾌속한 쾌검이었다.

"호오!"

"역시 좋구나!"

몇몇 노기인들의 입에서 절로 탄성이 흘러나왔다.

그 한 수의 재간만으로도 이 형문파 장백두라는 청년의 무위가 어느 정도인지 확실히 알 수 있었다.

하지만 다음 순간, 호랑이처럼 덮쳐들던 장백두의 움직임이 그대로 멈췄다. 그의 눈은 화등잔보다 더욱 커져 있었고, 얼굴은 새파랗게 질렸다.

무정검왕의 목젖을 꿰뚫던 그의 검이 한순간 대나무 갈라지듯 반으로 쪼개졌던 것이다.

믿을 수가 없었다. 있을 수 없는 일이었다.

여전히 무정검왕의 양손은 텅 비어 있었고, 제자리에서 한 걸음도 움직이지 않았다. 장백두는 그가 검을 빼 드는 모습도, 검을 휘두르는 동작도 전혀 보지 못했다.

그런데 언제, 어떤 방법으로 장백두의 검을 대나무처럼 반으로 가른 것일까.

3. 나를 데려가 주시오

검이 반으로 갈라졌다. 어떤 수법에 당했는지도 모른

다. 무정검왕의 출수도 보지 못했다.

장백두는 부끄러움과 당황으로 얼굴이 붉어지고 귀가 달아올랐다. 조금 전 나름대로 호승심을 불태웠던 자신이 초라하고 창피해서 쥐구멍으로 숨고 싶은 심정이었다.

"으음."

"으음."

한편 놀라고 당황한 건 노기인들 또한 마찬가지였다. 그들은 벌린 입을 다물지도 못한 채 넋 놓은 표정으로 무정검왕과 반으로 갈라진 검을 번갈아 바라보았다.

특히 구처자와 운룡신창, 홍염철검들은 더더욱 놀란 얼굴이었다.

홍염철검이 더듬거리며 말했다.

"그, 그 수법은…… 그자의 것과 전혀 다르지가 않소이다. 이, 이게 도대체 어찌 된 일이오?"

무정검왕은 천천히 자리에 앉았다. 그리고 빈 술잔에 술을 따르며 입을 열었다.

"딱히 보검이 아니더라도 상대의 검을 반으로 가를 수 있다는 걸 확인시켜 드리고 싶었을 따름이오."

구처자가 마른침을 꿀꺽 삼켰다. 한순간 그의 얼굴이 흉측하게 일그러져 보인 건 착각이었을까.

'젠장!'

속으로 욕설을 퍼붓는 구처자의 눈빛이 파르르 떨렸다.

'설마 나만 못 본 건가? 그건 아니겠지?'

그랬다. 구처자는 장백두와 마찬가지로 무정검왕이 검을 빼 드는 순간도, 검을 휘둘러 장백두의 검을 반으로 가르는 광경도 전혀 알아차리지 못했다.

만에 하나 무정검왕의 그 수법이 자신을 향해 짓쳐 들어왔다면…….

무섭고 두려운 생각에 절로 몸이 부르르 떨렸다.

그 반동이었을까. 구처자는 팔짱을 끼고는 코웃음을 치며 입을 열었다.

"목 형의 검도 보검이기 때문에 가능한 일이 아니겠소?"

"아니, 내 검은 보검이 아니오."

무정검왕은 술 한 잔을 마신 후 검집에서 검을 빼 들어 탁자 위에 올려놓으며 말을 이었다.

"삼 년 전이었던가 낙양부의 한 허름한 대장간에서 구입한 놈이오. 나름대로 대장장이의 실력이 좋은 듯 제법 괜찮기는 하지만, 그래도 보검이라고 하기에는 치졸한 검이오."

구처자는 힐끗 탁자 위의 검을 내려다보았다.

언뜻 보아도 싸구려처럼 보이는 철검이었다. 천하의 검왕이 애용하는 검이라고 하기에는 믿어지지 않을 정도로 제련한 방식이 조잡하고 단조도 부족해 보였다.

이런 검으로 상대방의 검을 반으로 가를 수 있다는 게

도저히 믿기 어려웠다.

"흐흠."

할 말을 잃은 구처자는 어색하게 헛기침을 하다가 이내 화제를 돌렸다.

"어쨌든!"

그는 눈을 부라리며 말했다.

"나는 놈과 다시 한번 싸우고 싶소. 마 형이나 양 형은 그렇지 않소?"

구처자가 눈에 살기까지 드리우며 물었다. 운룡신창 양희관이 고개를 끄덕이며 대답했다.

"물론이오. 내 애병을 토막낸 죄를 물어야 하니까."

홍염철검은 내심 한숨을 쉬었다.

'우리 셋이서 상대하고도 쉽게 어찌해 보지 못한 자다. 그런 자에게 죄를 묻겠다니, 도대체 그 쓸데없는 자존심들이 얼마나 강한 게냐?'

"마 형은 아닌가 보오?"

구처자가 재차 물었다. 홍염철검은 씁쓸한 웃음을 흘리며 입을 열었다.

"왜 아니겠소? 당연히 복수하고 싶은 마음이야 굴뚝 같을 수밖에 없지 않겠소? 하지만……."

"좋소. 우리 의견이 이렇게 일치하니 정식으로 초 방주께 요구하겠소. 놈들이 이곳 악양부를 탈출하지 못하도록 악양 일대에 천라지망을 펼쳐 주시기 바라오."

구처자의 말에 또다시 장백두가 끼어들었다.

"저 역시 같은 생각입니다. 놈들이 빠져나가기 전에, 금해가와 태극천맹의 모든 병력을 동원하여 천라지망을 구축했으면 합니다. 아울러 주변 인근의 병력까지 동원하셔서 놈들에게 뜨거운 맛을 보여 줘야 한다고 생각합니다."

'허어.'

홍염철검은 어이가 없다는 눈빛으로 장백두와 구처자를 바라보았다.

초일방은 눈살을 찌푸리며 고민하는 표정을 지었다. 반면 묵묵히 지켜만 보고 있던 무정검왕이 처음으로 홍염철검을 향해 입을 열었다.

"나를 그곳으로 데려가 주시오, 마 형."

그가 입을 열자, 홍염철검 뿐만 아니라 장내의 모든 인물이 깜짝 놀라며 그를 돌아보았다.

홍염철검이 눈을 휘둥그레 뜨며 물었다.

"어디로 말이오, 목 형?"

무정검왕 목부강은 여전히 무심한 목소리로 말했다.

"그의 흔적이 남아 있는 곳, 교룡회로 데려가 주시오."

듣던 중 반가운 소리였나 보다. 구처자와 장백두가 반색하며 거의 동시에 입을 열었다.

"내가 안내하겠소."

"제가 안내하겠습니다.

무정검왕은 무정하게 고개를 저었다.

"아니, 마 형이면 족하오."

무정검왕은 함께 가겠다며 일어서려는 사람들을 그 한 마디로 제지했다. 일언지하에 거절당한 구처자와 장백두들의 얼굴이 살짝 붉어졌다.

물론 무림십왕이라는 명성이 지니는 위압감도 배제할 수는 없었겠지만, 평소 무정검왕의 말수가 적은 까닭에 그가 한 번 내뱉은 말의 무게는 다른 사람보다 몇 배는 무거웠다.

그가 하겠다면 당연히 하는 것이고 그가 안 된다면 확실히 안 되는 일이었다.

그때였다.

"빈승도 흥미가 생겼는데 함께 가도 괜찮을까요?"

멸절사태가 물었다. 무정검왕은 잠시 생각하다가 고개를 끄덕이며 대답했다.

"상관없소."

구처자가 발끈했다.

"아니, 누구는 되고 누구는 안 되고. 이런 경우가 어디 있소, 목 형?"

"내 마음이오."

"허어. 그렇다면 내 마음대로 교룡회에 가겠소. 물론 마 형과 따로 말이오."
"상관없소. 마음대로 하시오."
무정검왕은 홍염철검을 돌아보며 말했다.
"그럼 안내해 주시오."
홍염철검이 자리에서 일어나자, 멸절사태도 따라 일어났다. 그러자 구처자와 장백두도 함께 일어섰다.
구처자는 망설이는 운룡신창을 돌아보며 채근했다.
"양 형도 갑시다."
어쩔 수 없이 운룡신창도 자리에서 일어났다. 그러는 동안 무정검왕은 홍염철검을 앞세워 대청을 빠져나갔다. 구처자들은 초일방에게 인사를 하는 둥 마는 둥 황급히 그 뒤를 쫓아 나갔다.
"허어."
졸지에 홀로 남게 초일방은 저도 모르게 헛웃음을 흘렸다. 어쩌다 보니 이곳의 주인이 아닌 방관자가 되어 버린 듯했다.
하지만 초일방은 전혀 기분이 나쁘지 않았다. 아니, 외려 고마울 지경이었다. 홀로 깊은 상념에 젖을 시간을 만들어 주었으니까.
그는 품에서 천천히 서찰을 꺼냈다.
철목가의 인장이 찍힌 서찰. 조금 전까지만 하더라도

다른 사람들의 이목이 있었기에 내색하지 않았지만, 사실 지금 그는 홀로 깊은 상념에 젖을 시간이 필요하던 참이었다.

'정 가주가 죽다니…… 도저히 믿어지지 않는구나.'

초일방은 서찰을 읽고 또 읽었다. 정극신이 무림오적이라는 자들에게 당했다는 글귀가 유난히도 눈에 와 박혔다.

'무림오적이라…….'

들은 바가 있었다. 그리고 기억하고 있었다.

재작년이었던가. 건곤가의 가주 천예무가 자신의 아들 천휘수를 죽인 자와 무적가의 가주와 그의 아들을 살해한 자들이 무림오적이라는 조직과 연관이 있다며 주장한 적이 있었다.

당시 다른 가주들의 반응은 심드렁했다. 다들 '그래서 어쩌라고?' 하는 표정들을 지으며 천예무를 바라보았다.

그런 이유로 하마터면 가주들끼리 싸움이 벌어질 뻔했던 기억이 아직도 생생했다.

'무림오적이라…….'

초일방은 서찰을 내려다보며 입술을 깨물었다.

'당시 천 가주가 뭐라고 했더라?'

초일방은 제법 시간이 흘러서 이제는 가물가물한 천예무의 주장을 떠올리려 애썼다.

'우리 오대가문을 상대하기 위해 조직된 사마외도의 비밀결사대 같은 거라고 했던가? 당시 천 가주가 건곤가와 무적가가 당한 것처럼 다른 가문들도 그들에게 당할 거라고 소리쳤던 것 같은데.'

그래, 기억이 나는 것 같다.

당시 천예무의 고함을 듣는 순간 초일방은 저도 모르게 문득 오륙 년 전의 그 참사를 떠올리고 말았다.

화군악과 종리군이라는 애송이들에 의해 하마터면 초운혜가 죽을 뻔했고, 심지어 금해가까지 와해될 뻔한 참사. 하지만 '에이, 아니겠지' 하고 고개를 설레설레 흔들고는 피식 웃으며 털어 냈던 당시의 기억이 새록새록 되살아났다.

하지만 지금은 아니었다.

'어쩌면 그 녀석들도 무림오적의 일원이 아니었을까?'

그때까지만 하더라도 설마 하던 것이 지금에 와서는 어느 정도의 확신으로 다가오고 있었다.

'만약 놈들이 무림오적의 일원이라면…… 도대체 얼마나 오래전부터 이 모든 걸 계획하고 진행해 온 것일까.'

하는 생각이 들자 절로 몸이 부르르 떨렸다.

오륙 년, 아니 십 년 이상 계획하고 알게 모르게 진행해 왔을 거라고 생각하니, 그 집요함과 끈질김에 절로 몸서리가 쳐졌다.

초일방은 손가락으로 턱수염을 매만지다가 문득 떠오르는 바가 있어 눈빛을 반짝였다.

'가만있자, 그러고 보니 천왕가의 사 가주 역시 크게 곤욕을 치른 적이 있었지?'

그는 오래전 기억을 더듬었다.

'그래. 당시 천하의 천왕가 가주 사양곤을 다른 가주들의 웃음거리로 전락하게 만들었던 사건이었지.'

초일방은 저도 모르게 피식 웃다가 다시 인상을 찡그렸다.

그때는 사양곤이 웃음거리였지만 지금은 아니었다. 건곤가의 천예무, 무적가의 제갈보국, 철목가의 정극신, 그리고 금해가의 자신까지 모두 웃음거리가 된 게다.

아니, 웃음거리가 된 것뿐이라면 그나마 불행 중 다행이리라. 이미 두 명의 가주가 목숨을 잃었으니까.

'그때 사 가주를 곤욕에 빠뜨렸던 자가 전직 포두라고 했었지? 사천 성도부의?'

상념이 거기까지 미치는 순간 초일방은 저도 모르고 탁자를 내리쳤다. 전혀 내력이 실리지 않은 손길이었음에도 불구하고 탁자는 쩍! 하고 반으로 쪼개졌다.

"그렇구나!"

3장.

찬방월척(躥房越脊)

찬방월척(躥房越脊)이라는 말이 있다.
방(房)은 곧 집을 뜻하고 척(脊)은 등마루를 의미한다.
찬(躥)은 높이 뛰어오르는 것이며 월(越)은 뛰어넘는다는 표현이니,
찬방월척은 곧 지붕과 지붕을 날아서 넘어 다닌다는 뜻으로,
비적(飛賊)을 표현할 때 사용하는 말이었다.

찬방월척(竄房越脊)

1. 전족부의 흔적

초일방의 눈빛이 새로운 깨달음으로 반짝이고 있었다.

"정 가주가 살해당한 곳도 역시 성도부였다. 그렇다면 성도부가 무림오적의 본거지일 터……."

그 전직 포두라는 자부터 찾으면 무림오적에 대한 실마리가 풀릴 것이다. 물론 아직까지 그곳 성도부에 남아 있을 리는 없겠지만, 그의 신상을 확인하면 뭔가 꼬투리라도 잡을 수 있었다.

'그럼 성도부 아문(衙門)에 사람을 보내야겠군. 가만있자…… 아문 쪽으로 손을 쓸 만한 자가 누가 있더라? 아무래도 관아 쪽 인물이 나을 텐데.'

초일방은 눈빛을 반짝이며 곰곰이 상념에 잠겼다. 얼마 지나지 않아서 그는 마땅한 인물을 생각해 냈고 고개를 끄덕이며 중얼거렸다.

"그래, 그 친구라면 내 부탁을 들어주겠군."

초일방은 만족스러운 표정을 지었다.

"그 전직 포두의 행적을 알게 되면 무림오적이라는 자들에 대한 실마리가 풀리겠지."

그렇게 중얼거리던 초일방은 문득 고개를 갸웃거렸다.

"응? 그런데 왜 조직의 명칭을 무림오적이라고 했을까? 일반적으로 오적(五賊)이라고 하면 다섯 명의 괴수들을 지칭하는 말인데…… 설마 겨우 다섯 명으로 이뤄진 조직은 아닐 테고. 응? 어라?"

일순 초일방의 눈빛이 번뜩였다.

조금 전 홍염철검이 했던 말이 떠올랐던 것이다.

-다섯 명 모두 하나같이 고강한 무공의 소유자들이었소.

"그러고 보니 교룡회에서 난동을 부린 자들 또한 다섯 명이었지?"

중얼거리는 초일방의 표정이 심각해졌다.

초일방은 다시 한번 철목가에서 보내온 서신을 읽었

다. 그는 무림오적이라는 자들에 대해서 설명한 대목을 찾아서 몇 번이고 읽고 또 읽었다.

서신에는 암습자들이 철목가 사람들이 묵고 있는 별채를 급습, 한 무리가 객잔 일대에 불을 지르며 철목가 무사들의 이목을 분산시키는 동안 다른 한 무리가 가주 정극신을 암살했다고 적혀 있었다.

그리고 서신을 작성한 총관 항조군이라는 자는 그 암습자들의 수가 결코 다섯을 넘지 않는다고 확신하고 있었다.

초일방은 눈살을 찌푸렸다.

이른바 '무림오적'이라는 명칭은 거대한 집단이나 조직의 그것이 아니라, 다섯 명의 극강한 고수들을 지칭하는 말이 아닐까 하는 생각이 들었다.

'아니, 설마.'

초일방은 고개를 저었다.

확실히 말도 안 되는 생각이었다.

아무리 무공이 하늘에 닿았다 하더라도 겨우 다섯 명으로 오대가문을 상대하려 한다는 건 그야말로 달걀로 바위 치는 격이었으니까. 미치지 않고서는 도저히 실행에 옮길 수 없는 일이었으니까.

'아니, 잠깐만.'

하지만 초일방은 재차 심각한 표정을 지었다.

'사 가주를 괴롭혔던 자는 전직 포두라는 자였고, 천 가주의 아들을 살해한 이들 또한 한두 명에 불과했다고 했지 아마? 그리고 제갈 가주를 살해하기 위해 모의 작당한 자들 또한 두어 명에 불과했고…….'

또 금해가의 경우도 마찬가지였다. 만약 그들이 무림오적의 일원이라는 가정하에서 생각한다면, 화군악과 종리군, 단 두 명에 의해 금해가 전체가 위기에 빠질 뻔했다.

아닌 게 아니라 오대가문을 상대로 타격을 입힌 자들의 수는 아무리 많아야 다섯이 넘지 않았다.

물론 그들이 부리는 수하들이 없지는 않겠지만, 즉 '무림오적'은 극강의 무위를 지닌 다섯 명이 주도하여 오대가문과 싸우는 조직일 가능성이 컸다.

'설마 그렇다면…….'

초일방의 안색이 차갑게 변했다.

문득 초일방의 뇌리로 이런저런 정보들이 한데 뒤엉킨 채 흘러들었다.

–마치 변장이나 분장을 한 듯한 얼굴이었습니다.

–얼굴과 눈빛이 마치 다른 사람처럼 느껴질 정도로 이질적이라는 게 기억에 남네요.

–우리들에게 악감정을 가지고 있었는지 죽거나 상당히 중한 부상을 당한 이들 대부분 우리 무사들이었습니다.

-그자의 기세에 눌리는 듯한 기분이 들 정도로 막강한 무위를 지니고 있었소.

장백두와 초은혜와 홍염철검들이 했던 이야기들이 두서없이 떠올랐다. 그리고 그들의 이야기는 교룡회에서 난동을 부렸던 다섯 명의 복면인들이 곧 무림오적일 수도 있다고 말해 주었다.

'그게 비록 일 할의 가능성이라 하더라도…….'

장사꾼과 도박은 상극(相剋)이었다. 아주 적은 투자로 큰돈을 벌고자 하는 게 곧 장사꾼의 도박이고, 그런 도박은 대부분 실패로 귀결되었다.

하지만 거상(巨商)이 되기 위해서는 그 장사꾼의 도박을 즐길 줄 알아야 했다. 일 할의 가능성만 보고 만금(萬金)의 거액을 투자할 줄도 알아야 했다. 거상과 소상(小商)의 차이가 거기에 있었다.

오랫동안 신중하게 고민한다고 해서 매번 성공하는 것도 아니고, 과감한 판단과 결단으로 투자한다고 해서 매번 실패하는 것도 아니었다.

그 아슬아슬한 경계선을 제대로 파악할 줄 아는 자, 바로 그런 인물이 재계(財界)의 거물이 되는 것이다. 그리고 초일방은 확실한 재계의 거물이었다.

초일방은 결심한 듯 크게 고개를 끄덕인 후 밖의 사람

을 불렀다.

"거기 누가 있느냐?"

"속하가 대령하고 있습니다."

총관의 목소리가 들려왔다. 초일방은 매서운 목소리로 말했다.

"모든 금해가 사람들과 천맹 지부의 무사를 동원하여 악양부에 천라지망을 펼쳐라. 악양부 관아에도 따로 연락을 취하여 그들에게도 협조를 요구하고."

"명을 받들겠습니다."

"또한 인근의 천맹 지부에도 전서구를 보내 원군을 요청하도록."

"존명!"

"그리고 숙객(宿客)들을 모셔 와라."

일순 대답이 늦게 들려왔다.

"숙객 모두를요?"

초일방은 잠시 생각하다가 대꾸했다.

"십팔숙객(十八宿客)만 모셔 오면 될 게다."

"그리하겠습니다."

지시를 끝낸 초일방은 술잔에 술을 가득 채운 후 단숨에 들이켰다.

빈 술잔을 내려다보는 그의 눈가에는 아주 오래간만에 승부사의 맹렬한 눈빛이 스며들고 있었다.

* * *

어느덧 새벽이 가까워졌는데도 불구하고 교룡회의 연무장은 아직도 처참한 광경이 고스란히 남아 있었다.

구미호 구염을 비롯한 파천십이룡 대부분이 납치되거나 죽거나 크게 다친 까닭에, 책임을 지고 전장을 수습할 만한 이가 없는 까닭이었다.

도망치지 않고 여태 남아 있는 당주급 인물들은 저마다 목소리를 높여 사후 대책에는 아랑곳하지 않은 채 서로에게 책임을 미루기만 하고 있었다.

물론 그 와중에도 시신과 부상자들을 한쪽으로 치우는 헌신적인 무사들이 없지는 않았지만, 대부분의 무사들은 아무렇게나 연무장 이곳저곳에 주저앉은 채 넋 놓은 얼굴로 멍하니 새벽하늘을 쳐다보고 있을 따름이었다.

그런 가운데 홍염철검과 무정검왕, 멸절사태가 그곳에 도착했다.

홍염철검과 멸절사태는 적나라한 교룡회의 상황에 살짝 눈살을 찌푸렸지만 무정검왕은 여전히 무심한 눈길로 연무장을 쓰윽 일견한 뒤 홍염철검에게 물었다.

"도주 방향은?"

홍염철검은 북서쪽을 가리키며 말했다.

“저 방향이오.”

무정검왕은 곧장 지면을 박차고 그 방향으로 신형을 날렸다. 멸절사태가 그 뒤를 따랐다.

홍염철검은 주위를 둘러보고는 길게 한숨을 내쉰 후 곧바로 무정검왕과 멸절사태의 뒤를 따라 신형을 날렸다.

교룡회 담벼락 위에 우뚝 선 무정검왕은 주위를 세심하게 둘러보았다. 그러고는 주변 모든 건물의 지붕 위를 돌아다니면서 예리한 시선으로 뭔가를 찾았다.

어느 한순간 그의 걸음이 멈춰졌다. 그는 허리를 숙인 채 지붕을 내려다보며 중얼거렸다.

“오 장 정도인가?”

홍염철검은 그가 무얼 그리 들여다보는지 궁금한 듯 가까이 다가왔다.

지붕의 기와에는 희미한 발자국이 찍혀져 있었다. 온전한 모양새가 아닌 전족부만이 미세하게 찍힌 발자국이었다.

‘오 장?’

홍염철검은 저도 모르게 뒤를 돌아보았다. 몇 채의 지붕과 골목길 저편으로 교룡회의 담벼락이 보였다. 이곳과의 거리는 대략 오 장 정도.

‘그렇군. 지금 목 형은 그자의 경공술에 대해서 조사하고 있구나.’

홍염철검의 고개가 절로 끄덕여졌다.

경공술은 몸을 가볍게 하여 한 번의 도약으로 먼 거리를 이동하는 수법이었다.

물론 경공술을 펼치는 걸 본 사람들이 하늘을 난다느니 허공을 가로지른다느니 하는 표현을 사용하기는 하지만, 그건 어디까지나 표현에 불과했다.

아무리 뛰어난 경공술이라 할지라도, 그 어떤 최절정의 고수라 할지라도 단 한 번의 도약으로 이십 장, 삼십 장 거리를 나는 건 불가능했다.

게다가 이렇게 지형지물이 많은 일반 성시(城市)에서는 더욱 제약이 심해질 수밖에 없었다.

한 번 도약해서 먼 거리를 뛰어넘었다가 다시 착지하여 재도약을 할 수 있는 발판, 그 발판이 될 만한 지붕을 찾아야만 연거푸 경공술을 발휘할 수가 있는 것이다.

홍염철검이 그런 생각을 하는 동안 무정검왕은 어느새 일직선으로 방향을 잡고 훌쩍 몸을 날리더니, 정확히 오 장 정도 떨어진 거리의 지붕 위로 내려섰다.

멸절사태와 홍염철검도 황급히 그 뒤를 따랐다.

무정검왕은 착지한 지붕의 기와를 내려다보더니 미미하게 고개를 끄덕였다. 역시 그곳에 한 번 착지했다가 재도약을 하면서 생긴 전족부의 흔적이 남아 있었다.

무정검왕은 그 흔적을 따라서 연신 지붕 위를 날았다. 홍염철검과 멸절사태도 그 뒤를 따랐다.

그러던 한순간, 무적검왕이 갑자기 남쪽으로 방향을 선회했다.

'응? 왜?'

홍염철검은 의아한 생각이 들어서 그가 남쪽으로 방향을 선회하기 직전의 지붕을 살펴보았다. 역시 그곳에도 전족부의 흔적이 미세하게 남아 있었다.

'이걸 보고 남쪽으로 방향을 튼 모양이로구나. 왜지? 왜 방향을 틀었을까?'

홍염철검이 고개를 갸웃거릴 때였다. 뒤늦게 달려온 구처자와 운룡신창, 장백두가 숨을 헐떡거리며 그의 옆에 내려섰다.

구처자가 짜증을 내듯 말했다.

"좀 천천히들 가시지, 뭐가 그리 급하다고 전력을 다해 달리시는 게요?"

'전력이라니.'

홍염철검은 어이가 없었다.

무정검왕들은 매번 지붕 위의 흔적을 살피느라 속도를 늦출 수밖에 없었는데, 지금 구처자는 그걸 두고 전력을 다해 달리느니 하며 투덜대고 있는 게다.

홍염철검은 대꾸하지 않은 채 전족부의 흔적을 주시하다가 문득 "아!" 하고 짧은 탄성을 흘렸다.

2. 따로 배운 적은 없지

"무슨 일입니까?"

장백두가 가까이 고개를 들이대면서 물었다. 홍염철검은 가볍게 눈살을 찌푸리고는 불쑥 질문을 던졌다.

"이 발자국을 보고 뭘 알 수 있겠나?"

"전족부의 흔적이네요. 이 지점에 착지했다가 재도약했다는 뜻이겠군요."

장백두는 별것 아니라는 투로 말을 하면서 전족부의 흔적을 가만히 내려다보다가 조금 전의 홍염철검처럼 "아!" 하고 탄성을 흘렸다.

"무슨 일인데?"

이번에는 구처자가 궁금하다는 듯이 물었다. 장백두는 족적부의 흔적을 유심히 바라보며 말했다.

"흔적이 살짝 뭉개져 있습니다. 만약 이 자리에 착지했다가 같은 방향으로 바로 도약을 했다면 흔적은 일직선으로 깨끗하게 나 있어야 합니다. 그러니까 이렇게 말입니다."

장백두는 자리에서 풀쩍 뛰었다가 다시 도약하는 행동을 취해 보였다. 그의 족적은 정확하게 한 방향으로 선명하게 나 있었다.

"그런데 이렇게 한쪽으로 뭉개진 건 착지한 다음에 방

향을 바꿔 도약했다는 의미가 됩니다. 이렇게요."

장백두는 다시 자리에서 풀쩍 뛰었다가 왼쪽으로 방향을 틀며 도약하는 흉내를 냈다.

구처자와 운룡신창이 호기심 담긴 눈빛으로 그의 전족부가 남긴 흔적을 지켜보았다. 확실히 조금 전과는 달리 지금 장백두가 만들어 낸 전족부의 흔적은 끝자락이 뭉툭하게 뭉개져 있었다.

"즉, 놈은 이곳에서 남쪽 방향으로 선회한 것 같습니다."

장백두의 결론은 정확하게 홍염철검, 그리고 앞서 이곳을 지나갔던 무정검왕과 일치했다.

'호오.'

홍염철검은 살짝 놀란 눈빛으로 장백두를 바라보았다.

'형문파와 금해가의 위명에만 기댄 채 으스대기만 하는 멍청이인 줄로만 알았는데 그게 아니었구나.'

비록 오만하고 야욕과 출세욕에 가득 차 있기는 했지만, 그래도 나름대로 무위도 뛰어나고 관찰력과 판단력도 훌륭했다.

이 정도라면 충분히 미래를 기대할 수 있는 후기지수(後起之秀)의 한 명임이 틀림없었다.

'나도 반성해야겠구나. 한 면만 보고 그 사람을 파악하고 판단하려 드는 어리석은 성급함을 말이지.'

홍염철검은 끄응 하며 일어났다. 그러고는 장백두를 향해 말을 건넸다.

"그럼 어서 따라오게. 늦장 부리다가는 자칫 목 형을 놓칠 수도 있으니까."

그는 서둘러 지붕을 박차고 남쪽으로 날아갔다. 장백두와 구처자, 운룡신창도 황급히 그 뒤를 따라 경공술을 펼쳤다.

찬방월척(躥房越脊)이라는 말이 있다.

방(房)은 곧 집을 뜻하고 척(脊)은 등마루를 의미한다.

찬(躥)은 높이 뛰어오르는 것이며 월(越)은 뛰어넘는다는 표현이니, 찬방월척은 곧 지붕과 지붕을 날아서 넘어다닌다는 뜻으로, 비적(飛賊)을 표현할 때 사용하는 말이었다.

그리고 지금 홍염철검들은 확실히 비적처럼 지붕과 지붕 사이를 찬방월철하고 있었다.

그렇게 지붕 사이를 날아가는 동안 홍염철검은 힐끗 뒤를 돌아보았다.

문득 그의 입가에 피식, 미소가 스며들었다.

'그래도 아직 많이 부족하군.'

구처자와 운룡신창은 한 번의 도약으로 홍염철검과 비슷한 사 장여 거리를 날고 있었다.

반면 장백두는 그들에 비해 일 장가량 부족한 거리, 그러니까 삼 장 정도의 거리마다 착지하여 재도약을 하고 있었다.

'뭐, 그래도 그 또래에서 비교하자면 군계일학이라고 할 수 있겠지.'

홍염철검은 그렇게 장백두의 무위를 평가하며 다시 신형을 날렸다.

차츰 날이 밝아 오기 시작했다.

* * *

홍염철검들이 무정검왕을 따라잡는 건 생각보다 그리 어려운 일이 아니었다. 여전히 그는 한 번 착지할 때마다 지붕의 기와를 세밀하게 관찰하고 있었으니까.

홍염철검은 그에게 가까이 다가가 불쑥 질문을 던졌다.

"그런 추적 방법은 어찌 알고 계시오?"

확실히 궁금할 법한 일이었다.

보통 일반 무림인들은 따로 추적술을 배우지 않는다.

물론 오랜 경험과 노련한 경륜을 통해서 추적의 기술이 향상할 수는 있지만, 지금 무정검왕이 보여 주는 행동은 그런 게 아니었다. 전문적으로 배운 추적술임이 분명했다.

추적술은 이른바 '길잡이'라고 불리는 전문 추적꾼들이나 살수, 관아의 포두와 포쾌들이 공부하고 배우는 종목이라 할 수 있었다.

서로 다른 임무와 책임을 지니고 살아가는 그들의 유일한 공통점은 바로 사람의 흔적을 뒤쫓는다는 점이었다.

길잡이의 경우, 여러 가지 일 중에서 행방불명된 사람의 흔적을 뒤쫓아서 그를 찾는 임무가 있었다. 살수야 당연히 그 흔적을 쫓아서 사람을 죽이는 게 본업 중 하나였으며, 포두와 포쾌는 따로 말할 필요가 없었다.

도망자가 남긴 미세한 흔적을 발견하고 관찰하여 그의 행동은 물론 심리까지 유추하고 파악하는 기술. 그게 바로 추적술의 근본이라 할 수 있었다.

"따로 배운 적은 없소."

무정검왕은 자리에서 일어나며 무심한 어조로 말했다.

홍염철검은 여전히 궁금하다는 표정으로 말을 붙이려 했지만 이미 그는 족적이 남긴 흔적을 따라 크게 도약한 후였다.

"쳇, 정말 말이 짧은 친구라니까."

홍염철검은 투덜거리며 그를 쫓아 경공술을 펼쳤다.

'따로 누군가에게 배운 적은 없지.'

옷자락 펄럭이며 허공을 날아가는 무정검왕은 속으로 그렇게 중얼거렸다.

사실이라면 사실이었다. 누구에게 따로 배운 게 아니라 그저 귀동냥 눈동냥을 하면서 절로 익혀진 것뿐이었으니까.

과거 정파 무림을 위해서 소년, 소녀의 교부(敎父)가 되어 진심으로 그들을 가르치던 시절이었다. 교부들 중에는 추적의 전문가도 있었고, 무정검왕은 가끔씩 그가 아이들을 가르치는 걸 지켜보면서 매번 감탄했다.

무정검왕은 무공이 강한 것만이 능사가 아니라는 걸, 추적술 또한 충분히 훌륭한 학문이 될 수 있다는 것을 그 시절에 깨닫게 되었다.

사람들이 지붕을 타고 계속해서 경공술을 펼치는 가운데 어느덧 동이 트기 시작했다.

사위는 환하게 밝아 왔고, 길가를 오가는 사람들이 하나둘씩 늘어나고 있었다. 이제는 더 이상 지붕을 타고 날아다니는 건 무리였다. 이런 것으로 사람들의 이목을 끄는 건 결코 좋은 일이 아니었다.

바로 그때였다.

크게 한 번 도약하여 새로운 건물의 지붕 위로 안착했던 무정검왕이 갑자기 몸을 돌리더니 훌쩍 몸을 날려 다시 이전 도약지로 돌아갔다.

마침 그의 뒤를 따라 새로운 지붕으로 도약하던 사람들은 무정검왕이 그들과 엇갈려 되돌아가는 걸 보고 눈이 휘둥그레졌다.

"응? 왜?"

홍염철검은 의아한 표정을 지은 채 중얼거리면서 지붕 위에 내려서자마자 다시 몸을 돌려 반대쪽으로 도약했다. 멸절사태와 구처자, 운룡신창들도 역시 홍염철검과 마찬가지로 되돌아가야만 했다.

다행인지는 모르겠지만, 장백두는 마침 무정검왕이 되돌아간 지붕을 향해 날아오고 있던 참이라 굳이 되돌아갈 필요는 없었다.

무정검왕은 한쪽 무릎을 꿇은 채 지붕 여기저기를 둘러보다가 힐끗 그 건물과 맞닿아 있는 골목길로 시선을 돌렸다. 그의 눈빛이 가늘어졌다.

"무슨 일이오?"

뒤늦게 안착한 홍염철검이 묻자 무정검왕은 무뚝뚝하게 대꾸했다.

"다 쫓아온 모양이오. 그자는 이곳에서 저 골목길로 내려간 것 같소이다."

"오오, 그렇소?"

홍염철검은 눈빛을 반짝이며 골목길 주변을 둘러보았다.

골목 안쪽으로는 객잔으로 보이는 삼 층 건물이 우뚝 서 있었다. 그렇다면 놈들은 저 객잔에 투숙하고 있는 것인지도 모른다.

홍염철검은 다시 주위를 둘러보았다. 아무래도 이 근처는 상가(商街) 지역인 듯, 주변의 건물들 대부분이 상회(商會)나 다관(茶館)이었다.

'역시 가장 확률이 높은 건 저 객잔일 것이다.'

홍염철검이 그렇게 생각하는 동안 이미 무정검왕은 골목길로 내려가 있었다.

그는 골목길의 바닥을 세세히 관찰하며 흔적을 찾았다. 그러고는 고개를 들어 골목 안쪽의 삼 층 건물을 유심히 지켜보았다.

홍염철검을 비롯한 사람들이 지붕에서 골목으로 뛰어내렸다. 홍염철검이 무정검왕에게 서둘러 다가가 물었다.

"저 객잔에 몸을 숨긴 것이오?"

"그런 것 같소. 흔적이 그곳으로 이어지고 있소."

"그럼 당장에……."

홍염철검이 곧장 몸을 날리려는 순간 무정검왕이 그의 소매를 잡으며 막았다.

"보아하니 상당히 큰 규모의 객잔이오. 별채도 여러 채나 되고. 괜히 함부로 들쑤시다가 저들이 도망칠 틈을 줄 수가 있소."

오래간만에 무정검왕은 꽤 길게 이야기했다. 홍염철검

은 고개를 갸웃거리며 물었다.

“그럼 어찌할 생각이시오?”

그때 갑자기 장백두가 끼어들었다.

“제가 생각하기에는…….”

“그만하게.”

홍염철검은 눈살을 찌푸리며 그의 말을 가로막았다.

3. 오늘의 가르침

장백두가 움찔하며 홍염철검을 돌아보았다. 홍염철검은 예리한 눈빛으로 그를 바라보며 따끔하게 말했다.

“자네 의견을 물은 게 아니네.”

“하, 하지만…….”

“자네가 대성하려면 다른 건 몰라도 그렇게 함부로 끼어드는 것부터 고쳐야 하지 않을까 싶네.”

꽤 직설적인 말이었다.

장백두는 눈을 동그랗게 뜨고 홍염철검을 바라보다가 고개를 숙이며 사과했다.

“죄송합니다. 워낙 다급한 마음에 무례를 저질렀습니다. 충고 감사드립니다.”

“알면 됐네.”

홍염철검은 장백두가 싹싹하게 사과하자 조금은 누그러진 듯 차분한 목소리로 말했다.

"그래, 무슨 말을 하려고 했는가?"

장백두는 가볍게 호흡을 가다듬은 뒤 진지한 어조로 대답했다.

"제 생각에는 이 객잔이 원래 저들이 머물고 있던 곳은 아니라고 생각합니다."

"호오, 왜?"

홍염철검은 흥미롭다는 표정을 지으며 물었다.

구처자와 운룡신창 또한 궁금하다는 듯 가까이 다가왔다. 반면 무정검왕과 멸절사태는 여전히 무심한 표정이었지만 가만히 장백두의 다음 말을 기다리고 있었다.

장백두는 차분하게 말을 이어 나갔다.

"아까 갑자기 방향을 남쪽으로 급격하게 튼 흔적이 있었잖습니까? 만약 원래 그가 생각했던 목적지가 이곳이었더라면 그렇게 갑작스레 방향을 바꾸지 않았을 겁니다. 중간에서 따로 연락을 받거나 모종의 이유로 목적지가 갑자기 바뀌었기 때문에 그런 흔적이 남은 게 아닐까 생각합니다."

"흐음. 그럴듯하군그래."

팔짱을 낀 채 가만히 듣고 있던 구처자가 고개를 끄덕이며 중얼거렸다.

“그렇다면 뭔가? 원래의 목적지에서 급격하게 이곳 객잔으로 선회한 이유가 말이지.”

곁에 서 있던 운룡신창은 아직도 궁금증이 해결되지 않았다는 것처럼 눈빛을 반짝이며 물었다. 장백두는 차분하고 공손하게 대답했다.

“제 짧은 생각에는 원래의 목적지가 바로 그간 그들이 머물고 있던 숙소가 아닐까 싶습니다. 그리고 갑자기 이곳으로 목적지를 바꾼 건 아무래도 교룡회의 여인을 납치한 이유가 크지 않을까 싶습니다.”

“응? 그건 왜?”

운룡신창이 묻자 구처자가 장백두를 대신하여 대답했다.

“그녀를 납치했으니 신문할 장소가 필요하겠지, 또 격한 소리가 오갈지도 모르는 상황, 일반 객잔에서는 아무래도 그게 불가능할 것이고.”

“그렇다면 이곳은 일반 객잔이 아니라는 겐가?”

“글쎄. 그야 모르지.”

구처자는 힐끗 막다른 담벼락 너머로 넓게 펼쳐진 객잔의 후원을 바라보며 말을 이었다.

“한적한 별채를 빌릴 작정일 수도 있겠고, 아니면 이곳 객잔과 뭔가 인연이 있을 수도 있겠고.”

“전자는 아니라고 생각합니다. 아, 죄송합니다.”

불쑥 끼어든 장백두가 이내 사과했다. 구처자가 피식

웃으며 그의 어깨를 두드렸다.

"괜찮네. 나는 마 늙은이와 다르게 통이 크니까. 왜 그렇게 생각하는지 어서 말해 보게."

"칫."

졸지에 좀생이가 된 홍염철검이 투덜거렸지만 더는 아무 말도 하지 않았다. 장백두가 희미하게 미소를 지으며 입을 열었다.

"만약 한적한 별채를 빌릴 작정이었다면 미리 빌려 두었을 것이고, 또 이미 이곳으로 오자고 약조했을 겁니다. 이렇게 한밤중에 느닷없이 이곳으로 방향을 틀지 않았을 겁니다."

"흠, 그래. 그것도 옳은 말이야. 좋아. 자네, 상당히 예리한 추론을 펼치는군그래."

구처자가 마음에 든다는 듯이 연신 고개를 끄덕이며 장백두를 칭찬했다. 장백두는 "별말씀을요." 하고 예를 취하고는 다시 말을 이어 나갔다.

"그러니 후자일 가능성이 큽니다. 이곳 객잔과 그들 간에는 모종의 인연이 있다. 그것도 한 여인을 납치해서 신문할 장소를 마련해 줄 수 있을 정도의 관계다. 이게 가장 가능성이 큰 이야기입니다."

"하지만 말일세."

듣고 있던 홍염철검이 불쑥 끼어들었다.

"이 객잔과 그 정도의 관계가 있다면 왜 애당초 이곳에서 묵지 않았을까? 왜 급박하게 목적지를 바꿔서 이곳으로 왔을까?"

"그야 모릅니다. 물론 몇 가지 경우의 수는 있을 겁니다."

장백두는 미미하게 웃으며 말했다.

"처음에는 굳이 이곳에 묵지 않아도 된다고 생각했을 수도 있고, 또 서로의 관계가 생각보다 그리 원만하지는 않을 수도 있습니다. 아니면 애초 교룡회의 여인을 납치할 생각을 하지 않았을 수도 있고요."

"흠. 그럼 자네는 이제 어찌해야 한다고 생각하나?"

가만히 듣고만 있던 멸절사태가 장백두를 향해 갑자기 질문을 던졌다. 장백두는 그녀가 자신의 의견을 존중하는 듯한 태도를 보이자 기분 좋다는 듯 미소를 머금으며 천천히 입을 열었다.

"사마외도의 방식이라면 당장 객잔으로 쳐들어가 객잔 주인부터 점소이까지 하나하나 신문하여 그 다섯 명의 소재를 알아내는 방법도 있습니다."

멸절사태가 마음에 들지 않는다는 듯이 가볍게 눈살을 찌푸렸다. 그러나 장백두는 여전히 미소를 잃지 않은 채 말을 이어 나갔다.

"혹도나 살수들이라면 몰래 담을 넘어서 모든 별채와 객잔 내부를 은밀하고 신속하게 정찰, 확인하여 놈들의 흔적을 찾아내는 방법을 사용할 겁니다."

"흐음."

구처자가 그럴듯하다는 표정을 지으며 고개를 끄덕였다. 멸절사태는 장백두의 말이 지루하고 길다고 여겼는지 잔뜩 이맛살을 모은 채 말했다.

"말을 빙빙 돌리지 말고 단도직입적으로 이야기하려무나. 네가 잘난 건 다 알고 있으니 말이다."

장백두의 얼굴이 살짝 붉어졌다. 그는 나지막하게 헛기침을 한 후 입을 열었다.

"정파 사람들이라면 확실한 증거를 찾을 때까지 무작정 움직이거나 함부로 잠입하지 않을 겁니다. 가령 객잔 주변에 은신하거나 혹은 신분을 감추고 객잔에 들어서서 놈들이 움직일 때까지 기다리는 겁니다. 놈들이 방심하고 식사를 하러 나오거나, 아니면 점소이가 놈들에게 음식을 가져다주는 걸 미행할 수도 있겠죠."

멸절사태는 눈살을 찌푸리며 말했다.

"여전히 말이 많구나. 그래서 자네는 마지막 방법을 사용해야 한다, 이 의견이냐?"

"아닙니다. 교룡회 여인이 납치당한 상황에서 무작정 기다리고 있을 여유가 우리에게는 없습니다. 제 생각에는 두 번째 방법이 지금 상황에서 가장 낫지 않을까 싶습니다."

"그럼 처음부터 그리 말하면 되지 않았느냐? 가뜩이나 시간이 없다면서 구구절절이 늘어놓을 필요가 어디 있느냐?"

멸절사태가 짜증 난 목소리로 말하자 운룡신창이 "허허." 웃으며 끼어들었다.

"그럼 그렇게 합시다. 확실히 이 나이에 월장(越墻)을 하는 건 쑥스러운 일이지만 상황이 상황이니만큼 어쩔 도리가 없는 것 같구려. 그럼 어디부터 수색해야 좋을 것 같은가?"

운룡신창의 질문에 장백두는 빠르게 말했다.

"놈들은 강합니다. 괜히 조를 나눠서 아군의 힘을 분산시킬 필요는 없다고 생각합니다. 그러니까……."

"또, 또. 정말 마음에 들지 않는구나."

멸절사태가 혀를 차며 나무랐다. 장백두는 얼굴이 시뻘겋게 달아올랐다.

'이 어르신도 늙은 네년이 마음에 들지 않거든!'

장백두는 속으로 욕설을 퍼부으며 겉으로는 송구스럽다는 듯이 허리를 낮추며 말했다.

"죄송합니다. 그러니까 다 같이 움직이는 게 낫다는 말씀을 드리려 했습니다. 어디부터 수색해야 할지는 어르신들께서 정하시죠."

장백두가 그렇게 말을 맺을 때였다. 잠자코 담 너머 객잔을 둘러보던 무정검왕이 불쑥 입을 열었다.

"이상하군."

사람들이 그를 돌아보았다. 무정검왕은 여전히 무심한 어조로 중얼거렸다.

"그렇게 강한 자들이라면 그에 걸맞은 투기가 흘러나와야 하는데…… 그런 기가 전혀 느껴지지 않아."

"음?"

멸절사태는 고개를 갸웃거리고는 훌쩍 담 위로 뛰어올랐다. 그러고는 호흡을 길게 들이쉬었다가 천천히 내쉬면서 눈을 감고 정신을 집중했다.

강만리의 천조감응진력이 아니더라도 멸절사태나 무정검왕 정도 되는 절정 고수들이라면, 어느 정도 멀리 떨어져 있더라도 상대의 기를 인지할 수 있는 능력을 지니고 있었다.

정신을 집중한 멸절사태는 모든 감각을 동원하여 한적한 객잔 후원의 별채에서 흘러나오는 기척을 감지했다.

규칙적인 심장 박동, 고르고 평온한 숨소리, 평범한 기운, 별채에서 잠자고 있는 숙박객들의 기척이 고스란히 그녀에게 전해졌다.

물론 약간의 투기나, 무공을 익힌 기운이 없는 건 아니었다. 하지만 구처자나 운룡신창을 상대로 밀리지 않고 싸울 정도의 고수가 흘리는 투기는 전혀 감지되지 않았다.

또한 고문이나 신문을 하는 듯한 기척도 전혀 전해져 오지 않았다. 아무래도 이곳에는 놈들이 없는 것 같았다.

"이상하군."

멸절사태는 눈을 뜨며 다시 한번 고개를 갸웃거렸다. 그녀는 무정검왕을 돌아보며 말을 이었다.

"확실히 너무나도 평범한 객잔의 기척입니다."

무정검왕이 고개를 끄덕이며 말을 받았다.

"아무래도 다른 곳으로 이동한 모양입니다."

"흠, 그럼 이제 어떻게 할까요?"

순간 장백두가 끼어들었다.

"가장 간단한 방법은……."

"그만해라."

멸절사태가 장백두를 노려보며 싸늘하게 말했다. 장백두가 얼른 입을 다물었다. 무정검왕이 오래간만에 장백두를 바라보며 말했다.

"자네는 무엇보다 먼저 나설 때와 빠질 때가 언제인지 제대로 구분할 줄 알아야겠네."

"죄, 죄송합니다."

고개를 숙이는 장백두의 목덜미가 새빨갛게 달아올랐다.

무정검왕은 이내 그에게서 시선을 거두고 멸절사태를 돌아보며 말했다.

"거추장스러운 건 질색입니다."

멸절사태도 동의한다는 듯 고개를 끄덕이며 말했다.

"가장 단순한 게 가장 좋은 방법인 게죠. 그게 사마외도의 방식이든, 흑도의 방식이든 말이죠."

"그럼 지배인부터 만나기로 하죠."

무정검왕은 곧바로 담장을 뛰어넘어 객잔 뒷마당에 내려섰다. 동시에 멸절사태도 그와 함께 움직였다. 뒤늦게 운룡신창과 홍염철검이 담을 넘었다.

구처자도 담을 넘으려다가 문득 여태 고개를 숙이고 있는 장백두를 보고는 빙긋 웃으며 위로하듯 말을 건넸다.

"너무 속상해 하지 말게. 멸절사태나 목 형 모두 평범하지 않고 괴팍한 성격인지라 우리 역시 대하기 껄끄럽다네."

"말씀 고맙습니다."

"그럼 어서 가세. 이럴 때일수록 더 힘을 낼 줄도 알아야 하네."

말을 마친 구처자는 훌쩍 담을 뛰어넘었다.

홀로 남은 장백두의 눈빛이 급변했다. 잔악하고 악랄하며 흉악하기까지 한 눈빛. 그는 살기 등등한 눈빛으로 담 너머 어딘가를 노려보며 나지막하게 중얼거렸다.

"오늘의 가르침 절대 잊지 않겠습니다, 멸절사태."

그는 뿌드득 이를 갈고는 곧바로 담을 넘었다.

어느새 그의 얼굴은 평소의 그 호탕하고 활기 가득 찬 표정으로 돌아와 있었다.

4장.

대복객잔(大福客棧)

"그 빗자루로 뭘 하려는 생각이더냐? 설마 나를 상대할 작정은 아니겠지?
저 밑의 지배인처럼 네놈도 죽고 싶어 안달이 난 모양이로구나."

대복객잔(大福客棧)

1. 그들은 지금 어디 있나?

객잔의 하루는 일찍 시작된다.

인시(寅時) 말 묘시(卯時) 초면 그날 아침 당번인 점소이가 늘어지게 하품을 하며 객잔 문을 연다.

졸린 눈을 비비며 문 앞 거리를 청소한 후 다시 대청으로 돌아와 대청 바닥까지 쓸고 닦은 다음, 한쪽 구석으로 밀어 둔 탁자와 걸상을 제자리에 배치하는 것까지가 아침 당번의 몫이었다.

그게 끝날 즈음, 숙수들과 점소이들이 하나둘씩 나타난다.

숙수들이 채소를 다듬고 고기를 썰면서, 그리고 점소이

들이 물을 길어 오고 걸레를 빨고 행주를 씻으면서 객잔의 하루는 본격적으로 시작한다.

하지만 이날 대복객잔의 아침은 그렇게 시작하지 않았다. 아침 당번인 막내 점소이가 하품을 하며 대청에 들어서는 순간, 객잔 후문이 덜컹! 열리며 한 무리의 노인들이 쏟아져 들어왔다.

점소이는 깜짝 놀라며 그들을 쳐다보았다. 승도속(僧道俗)의 각각 다른 차림새를 한 노인들은 거침없이 후문에서 대청으로 이어지는 복도를 따라 걸어 들어왔다.

'응? 왜 뒷문에서 들어오…… 아, 별채의 손님들인 모양이로구나.'

어린 점소이는 어리둥절한 표정을 지으며 입을 열었다.

"죄송합니다만 아직 영업을 시작하지 않았습니다요. 아침 식사를 하시려면 조금 더 있다가……."

일순 도복 차림의 노인이 근엄한 표정을 지으며 그의 말을 자르고 말했다.

"가서 지배인을 불러와라."

"네? 숭 지배인 말씀이십니까? 지배인과 아는 분들이십니까?"

구처자가 눈살을 찌푸리며 말하려 할 때, 운룡신창이 부드럽게 웃으며 먼저 입을 열었다.

"맞네. 숭 지배인과는 꽤 예전부터 알고 지내던 사이일

세. 오래간만에 악양부에 온 김에 생각나서 들렀다네. 무례함을 용서하게."

나이 어린 점소이는 내심 고개를 갸웃거렸지만 문득 어젯밤의 기억이 새롭게 떠올랐다.

'하기야 어제도 처음 본 사람들이 느닷없이 후문으로 쳐들어와서 깜짝 놀라기는 했지. 알고 보니 숭 지배인의 옛 지인들이라고 해서 더 놀라기도 했고.'

그러니 이 노인네들이 숭 지배인의 오래된 지인이라고 해도 새삼 놀랄 게 없는 일이었다. 게다가 이 나이 어린 점소이는 황계에 들어온 지 불과 반년밖에 되지 않았다.

점소이는 허리를 숙여 공손하게 말했다.

"숭 지배인께서는 오늘 축시(丑時)까지 술을 자시느라 아직 일어나지 않고 계십니다. 그러니 제가 모셔 올 때까지 잠시 기다려 주십시오. 아, 탁자를……."

"아니, 됐네. 탁자는 우리가 알아서 할 테니 얼른 모셔오게."

운룡신창이 그렇게 말할 때, 뒤쪽에 서 있던 장백두가 불쑥 앞으로 걸어 나오며 점소이에게 질문을 던졌다.

"숭 지배인께서 오늘 축시까지 술을 자셨다고 했는데, 혹시 그를 찾아온 다섯 손님과 함께 마신 게더냐?"

점소이는 다시 어리둥절한 표정을 지으며 말했다.

"혹시 그분들과도 아는 사이이십니까?"

'옳거니!'

장백두는 내심 회심의 미소를 떠올렸다. 하지만 겉으로는 한없이 부드러운 표정을 지으며 말했다.

"물론이네. 숭 지배인과 함께 술을 마신 사람들이 사남일녀의 다섯 분이셨다면 확실히 잘 아는 사이지."

점소이는 고개를 끄덕이며 말했다.

"맞습니다. 그 다섯 분과 함께 마셨습니다."

"아이쿠, 실은 그들과 합류할 작정이었는데 이거 우리가 한발 늦은 모양이군그래."

장백두는 너스레를 떨며 고개를 저었다. 멸절사태가 기가 막힌다는, 혹은 감탄하는 듯한 눈빛으로 지켜보는 가운데 장백두는 계속해서 말을 이어 나갔다.

"그래. 그 손님들은 지금 별채에 계실까?"

"아뇨. 그분들은 지금……."

점소이가 순순히 사실대로 말하려는 순간이었다.

"거기까지 해라."

이 층 계단에서 묵직한 목소리가 들려왔다. 점소이는 움찔거리며 입을 다물었다.

사람들의 시선이 일제히 계단 쪽으로 향했다. 계단을 따라 중늙은이 한 명이 천천히 걸어 내려왔다. 점소이가 쪼르르 그에게로 달려가 허리를 조아리며 말했다.

"이분 손님들께서 지배인의 지인이라고……."

"됐다. 너는 이제 그만 이 층으로 올라가 있거라."
"네? 하지만 아직 바깥 청소도 하지 않았……."
"됐다니까."
"네? 네."
어린 점소이는 영문을 몰라하며 중늙은이 곁을 스치듯 지나쳐 계단으로 올라갔다.
계단을 오르던 그때, 순간 점소이의 얼굴이 살짝 굳어지는 듯했다. 하지만 그는 곧 고개를 숙인 채 빠른 걸음으로 사라졌다.
장백두는 입술을 깨물었다.
'쳇! 이 층으로 올라가지 못하도록 잡아야 했는데…….'
행여 저 어린 점소이가 이 층에서 원군들을 끌고 내려올지도 모르는 일이었고, 그런 귀찮은 일은 미연에 방지하는 게 옳았다.
하지만 이 고리타분하고 사고방식이 꽉 막힌 정파의 노기인들은 전혀 그럴 생각이 없어 보였다.
그들은 오로지 계단 앞에 서 있는 중늙은이만 바라볼 뿐, 앞으로 벌어질 수도 있는 일들에 대해서는 전혀 방비하지 않았다.
어쩌면 그건 그들의 자신감이자 자존심의 표현일지도 몰랐다. 그 어떤 상황이 닥쳐도 능히 짓쳐 나갈 수 있다는 당당함 자신감이었지만, 장백두가 보기에는 오만과 자만에 지나지 않았다.

장백두는 구처자들의 등을 노려보며 속으로 투덜거렸다.

'겨우 중년 사내 하나를 상대로 세 늙은이가 땀을 뻘뻘 흘려 놓고서는…… 멸절사태와 무정검왕이 합류했다고 해서 저렇게 기세등등하다니.'

호가호위(狐假虎威).

그랬다. 지금 저 세 늙은이들의 모습은 그야말로 여우가 호랑이의 권세를 빌려 위풍당당한 모습을 보이는 꼴에 지나지 않았다.

어린 점소이가 이 층으로 올라가자 중늙은이는 다섯 노인들 중 무정검왕을 직시하며 차분한 어조로 입을 열었다.

"그래, 새벽같이 이 대복객잔에는 무슨 일이십니까?"

확실히 평범한 중늙은이는 아니었다. 단 한 번 훑어보는 것만으로 이 다섯 명의 노인 중에서 가장 무위가 고강한 이가 누구인지 정확하게 파악하는 눈썰미만으로도 쉽게 생각할 상대는 아닌 게 분명했다.

질문을 받은 무정검왕은 대답 대신 힐끗 장백두를 돌아보았다.

장백두는 그 눈빛을 마치 '이곳에서의 문답(門答)은 네가 하는 것이 좋겠구나'라는 듯한 의미로 받아들였다. 절로 그의 가슴이 두근거렸다.

나름대로 무정검왕에게 인정을 받았다는 생각에 마음이 뿌듯해지고 벅차올랐다.

"그럼."

장백두는 가볍게 고개를 숙이는 것으로 무정검왕에게 답을 한 후, 두 걸음 앞으로 걸어나가 무정검왕이 옆에 서며 입을 열었다.

"귀하가 숭 지배인이시오?"

중늙은이는 가늘게 눈을 떴다. 그러고는 빙긋 미소를 지으며 되물었다.

"소협은 요즘 위명 자자한 형문파 장 소협이시오?"

장백두도 미소를 지으며 되물었다.

"어젯밤, 이 대복객잔에 불청객들이 찾아오지 않았소?"

중늙은이도 재차 되물었다.

"장 소협의 뒤에 서 계시는 분들은 장 소협의 호위무사들이시오?"

일순 구처자의 눈썹이 꿈틀거렸다. 그는 한마디 하려고 앞으로 나서려 했지만 홍염철검이 먼저 그의 팔을 잡으며 제지했다.

구처자가 그를 돌아보자 홍염철검은 고개를 설레설레 흔들며 입을 벙긋거렸다.

'흔하디흔한 격장지계에 불과하오.'

구처자가 끄응 하며 고개를 끄덕였다.

그러는 동안에도 장백두와 중늙은이의 선문답은 계속해서 이어지고 있었다.

"그 다섯 불청객의 행방이 궁금하오. 가르쳐 주시겠소?"

"불청객이라면 지금 내 눈앞에 있는데 또 무얼 가르쳐 드려야 하오?"

"마지막으로 경고하겠소. 내 뒤의 어르신들과는 달리 나는 험한 방법을 아끼지 않고 사용할 수 있다오."

"아니, 불청객의 행방이 궁금하다면서 정작 가르쳐 드리니 왜 갑자기 다른 소리를 하시오? 설마 귀가 먹었소?"

"좋소. 이제부터 숭 지배인을 그 다섯 불청객과 한패라고 생각하겠소."

장백두는 근엄한 표정을 지으며 말했다.

"그들 다섯 명은 교룡회를 무단으로 침입, 막대한 사상자를 만들었소. 그뿐만 아니라 중재를 하러 간 태극천맹과 금해가의 무사들에게까지 살수를 펼친 바, 그 흉악한 자들이 지금 어디에 있는지 말하지 않는다면 앞으로 내가 무슨 짓을 하더라도 잔악하다고 말하지 마시오."

중늙은이는 그제야 상황 파악을 했다는 듯이 눈을 동그랗게 뜨며 말했다.

"아니, 어젯밤 그런 일이 있었습니까? 정말 큰 사건이 벌어졌었군요. 천하의 금해가와 태극천맹의 무사들, 심지어 백도의 노기인들까지 우르르 몰려갔었는데 그 다섯 명의 흉악범들을 잡지 못하고 외려 크게 당하시다니요. 세상에 그런 못된 자들이 또 어디 있습니까?"

장백두의 뒤쪽에서 가만히 듣고 있던 구처자의 얼굴이 일그러졌다.

비록 공손한 자세로 정중하게 말하고는 있지만 그의 조롱과 비아냥을 눈치채지 못할 리가 없었다. 아니, 바로 그 공손한 말투와 정중한 행동 때문에 외려 더 부글부글 구처자의 속이 끓어오르는 것이리라.

장백두의 인내심도 한계에 달한 듯 그의 얼굴이 딱딱하게 굳어졌다. 그는 입술을 깨물다가 마지막 경고를 하려고 입을 열었다. 하지만 무정검왕의 검이 그의 말보다 빨랐다.

'읏.'

중늙은이, 그러니까 대복객잔의 지배인이자 황계 악양지부의 책임을 맡고 있는 숭천웅은 저도 모르게 헛바람을 집어삼켰다.

그저 눈 한 번 깜빡였을 뿐이었는데, 어느새 무정검왕의 검이 그의 목을 찌르고 있었다.

핏물이 검날을 타고 뚝뚝 흐르는 가운데, 무정검왕이 나지막하게 물었다.

"그들은 지금 어디 있나?"

2. 숭천웅

숭천웅은 가만히 그를 쳐다보다가 문득 고개를 크게 끄덕였다. 그 바람에 무정검왕의 검이 조금 더 깊이 그의 목을 찔렀다. 검날을 타고 흐르는 핏물의 양이 점점 늘어났다.

"알고 보니 무림십왕 중 한 분이신 검왕, 무정검왕이셨구려. 그 위명 자자한 검을 들어 일개 객잔 지배인에 불과한 소인의 목을 찌르시다니, 이것 참 영광이라고 받아들여야 할지 난감한 일이외다."

"허어, 곧 죽어도 찍! 하고 죽을 놈이로구나!"

구처자가 발끈하여 소리치며 일장을 휘갈겼다. 세찬 경기가 숭천웅의 귓가를 스치고 지나갔다.

쾅!

굉음과 함께 이 층으로 이어지는 계단이 박살 났다. 간담이 서늘할 정도로 무시무시한 일격이었다.

그러나 숭천웅의 표정은 전혀 달라지지 않았다. 그는 피식 웃으며 구처자를 향해 말했다.

"제대로 맞출 배짱도 없으면서 그리 함부로 손을 쓰다가는 무정검왕께 혼쭐이 나실 겁니다."

일순 구처자의 콧구멍과 귀에서 새하얀 연기가 뿜어져 나오는 것 같았다.

"이, 이 자식이! 뚫린 입이라고 함부로 지껄이고 있구나! 내가 무서워서 네놈을 맞추지 못한 줄 아느냐? 네놈의 입에서 반드시 들어야 할 이야기가 있으니 맞추지 않은 것뿐이다!"

숭천웅은 빙긋 웃으며 대꾸했다.

"오호! 그렇다면 내가 입을 열지 않으면 어떻게든 살아남을 수 있겠군요. 설마 천하의 여러 노영웅들께서 일개 객잔 지배인에게 고문을 할 리는 없으실 테고요."

구처자는 당장 숭천웅을 때려죽일 듯이 손을 쳐들었다가 홍염철검의 만류에 끄응 하며 다시 손을 내렸다.

홍영철검도 낯을 찌푸린 채 말했다.

"아무래도 말로 해서는 이길 수 있는 상대가 아닌 것 같소. 심지어 죽음마저 두려워하지 않으니."

평범한 객잔 지배인이라면 무정검왕의 검이 자신의 목덜미에 꽂히는 순간 소변을 지리며 자지러져야 했다.

하지만 이 중늙은이는 그게 아니었다. 그는 죽음을 두려워하지 않았다. 협박 앞에서 떨지 않았다. 외려 얼른 죽여 달라는 듯이 구처자를 도발하고 있었다.

평범한 지배인이 아니었다. 경륜 많은 백도의 노영웅들을 가지고 놀 정도의 노회한 구렁이었다. 도대체 어떤 신분 내력을 지닌 자인지 새삼 궁금해졌다.

'협박이나 고문으로는 도저히 입을 열 수 있는 자가 아니다. 그렇다면 아예 정공법으로 가는 것이 더 나을지도

모르겠구나.'

홍염철검이 그렇게 중늙은이의 기개와 당당함에 감탄할 때, 정작 중늙은이 승천웅은 그야말로 진퇴양난의 고민에 빠져 있었다.

'이렇게 마냥 뻗대고 있을 상황이 아닌데 어쩌다가 이렇게 되었누.'

그는 속으로 한숨을 내쉬었다.

상대는 한눈에 봐도 정파의 위풍당당한 노영웅들이었다. 정면으로 부딪쳐도, 기습을 노려도 당연히 당해 낼 수 없는 무위를 지닌 자들이었다.

그러니 애당초 처음부터 비굴하게 웃으며 아첨하며 상황을 모면하는 게 최선이기는 했다. 여러분들이 찾는 그런 사람들을 만나기는커녕 본 적도 없다면서 무작정 모르쇠로 일관해야 했다.

하지만 그러기에는 처음부터 망했다.

세상 물정 모르는 어린 점소이는 저 노기인들을 승천웅의 손님이라고 철석같이 믿었다. 어젯밤에 후문으로 들어왔던 그 낯선 무리와 일행이라고 생각한 점소이는 그들에게 사실대로 모든 걸 털어놓았다.

그 상황에서 승천웅이 모르쇠 한다는 건 말이 안 되는 일이었다. 결국 그가 선택할 방법은 오직 하나뿐이었다. 자신의 죽음으로 모든 걸 덮는 것, 그게 최선이었다.

그래서 숭천웅은 쉬지 않고 저들을 비아냥거리고 조롱했다. 그는 저들 중 이성을 잃고 흥분한 자가 단번에 자신의 명줄을 끊기를 바랐다. 그리고 그의 계획은 어느 정도 성공하는 것처럼 보였다.

도관을 쓴 노인은 선풍도골(仙風道骨)의 외모와는 달리, 다혈질인 듯했다. 숭천웅이 몇 마디 조롱을 던지자 금세 얼굴이 달아오르며 흥분하여 다짜고짜 일장을 날린 것이다.

만약 상대가 그 혼자였다면, 그리고 주변 동료들이 말리지 않았더라면 숭천웅은 자신의 계획대로 이미 이승을 떠났을 것이다.

'다른 녀석들에게 제대로 전달했어야 하는데.'

숭천웅은 문득 조금 전 자신의 곁을 스치듯 지나치며 이 층으로 오른 어린 점소이를 떠올렸다. 순간적으로 스치듯 지나치는 순간, 숭천웅은 저 불청객들 모르게 점소이를 향해 은밀한 지시를 내렸다.

-모두 은밀하게 이곳을 빠져나가라고 전해라.

조금 전 계단으로 오르던 점소이의 얼굴이 살짝 굳어진 건 바로 그 지시를 들었기 때문이었다.

'그래도 정파의 유명한 노영웅들이다. 일개 점소이들까지 몰살시키지는 않겠지. 나만 제대로 죽으면 된다.'

그게 숭천웅이 내린 마지막 결론이었고, 그런 연유로

지금 그는 한없이 오만할 정도로 당당하게 저 정파 노기인들 앞에 서 있는 것이다.

그런 속사정을 알 리가 없는 홍염철검은 그저 승천웅의 담대한 기개에 감탄하여 두 손을 맞잡으며 입을 열었다.

"미처 소개가 늦었구려. 본인은 강호에서 홍염……."

그의 말이 끝나기도 전이었다.

"아악!"

승천웅이 비명을 내질렀다.

그의 목젖을 찌르고 있던 검이 흐릿해지는가 싶더니 눈 깜짝할 사이에 왼팔을 싹둑 잘랐던 것이다. 단숨에 잘려서 바닥에 떨어진 팔이 마치 숭어가 날뛰듯 퍼덕거렸다.

홍염철검이 깜짝 놀라 소리쳤다.

"무슨 짓이오, 목 형?"

무정검왕은 여전히 무심한 눈길로 승천웅을 바라보며 말했다.

"목숨만이라도 부지하고 싶다면 그들의 행방에 대해서 이야기하시게."

높낮이도 없는 어조, 느릿한 말투, 지루하다는 표정, 텅 빈 눈빛.

하나씩 보자면야 그리 특별할 것도 없지만 하나로 모이자 한없이 두려워서 공포까지 느끼게 만드는 무정검왕의 표정과 목소리였다.

하지만 숭천웅은 견딜 수 없는 고통에 이를 악물면서도 억지로 미소를 지으며 말했다.

"역시 극과 극은 통한다고 했던가? 정파의 영웅들이 하는 행동이 저 시장 바닥의 건달들과 전혀 다를 바가 없군그래."

그의 조롱에 멸절사태와 홍염철검들의 얼굴이 찌푸려졌다.

반면 구처자와 장백두는 새삼 눈을 반짝이며 무정검왕의 거대해 보이는 등을 쳐다보았다.

무정검왕은 대꾸 대신 천천히 검을 들어 올렸다.

일순 숭천웅의 얼굴에 결의의 빛이 스며들었다. 그걸 본 무정검왕은 문득 무슨 생각이 들었는지 검을 들어 올린 채 입을 열었다.

"설마 자신의 목숨 하나로 이번 일이 마무리될 거라고 생각하는 것은 아니시겠지?"

숭천웅은 저도 모르게 움찔거렸다.

무정검왕은 그 미미한 떨림을 놓치지 않고 지켜보면서 계속해서 말을 이어 나갔다.

"조금 전 그 어린 점소이만 하더라도 다섯 불청객을 잘 알고 있더군. 귀하가 아니더라도 그들의 행방에 대해 털어놓을 사람들이 없지는 않을 터, 너무 자신의 목숨에 대한 가치를 높이려 하지 마시게."

숭천웅은 무정검왕의 얼굴을 보았다. 다시 한번 전신이

부르르 떨렸다.

'이자의 말은 사실이다.'

그랬다.

무정검왕의 얼굴은 허투루 빈말이나 협박을 할 얼굴이 아니었다. 한 번 내뱉은 말은 목숨을 걸고서라도 지킬 것 같은 고집이 담겨 있는 얼굴이었다.

그 어떤 비난과 멸시와 조롱을 받더라도 목표로 삼은 일은 끝까지 해낼 뚝심이 스며 있는 눈빛이었다.

숭천웅의 입장에서 보자면 애당초 이런 자를 적으로 돌렸다는 것 자체가 불운인 게다.

하지만 숭천웅은 전혀 기죽지 않았다.

"더러운 정파의 주구(走狗)들!"

숭천웅은 욕설을 퍼부으며 무정검왕의 얼굴에 침을 뱉었다. 무정검왕은 피하지 않고 고스란히 그 침을 맞았다. 침이 뺨을 타고 턱으로 흘러내리는 가운데, 그는 가볍게 한숨을 쉬며 입을 열었다.

"어쩔 수 없군. 귀하는 포기하겠네. 대신 그 어린 점소이부터 잡아 족칠 수밖에."

무정검왕은 숭천웅의 목을 향해 검을 날리려 했다.

순간, 숭천웅은 죽음을 각오한 듯 눈을 질끈 감으며 한 맺힌 절규를 뿜어냈다.

"파천(破天)!"

그것은 죽어서라도 반드시 태극천맹을 무너뜨리겠다는 결연한 의지가 실린 일갈(一喝)이었다. 또한 백도가 점령한 강호 무림을 다시 사마외도의 세상으로 만들겠다는 각오가 담긴 일성(一聲)이었다.

동시에 황계의 암화(暗話) 중 하나로, '얼른 이곳을 떠나 훗날을 도모하라!'라는 속뜻을 지니고 있기도 했다.

그리고 그 암화는 혹시나 남아 있을지 모르는 수하들을 향해 외치는 숭천웅의 마지막 지시이기도 했다.

그 강렬한 외침에 놀란 것일까. 무정검왕의 검이 순간적으로 허공에서 움찔거렸다. 다른 노인들 또한 숭천웅의 고함이 무슨 의미인지 모르겠다는 듯이 서로를 돌아보았다.

바로 그 순간이었다.

우당탕탕!

갑자기 이 층 천장에서 요란한 소음이 들렸다. 숨죽이고 있던 쥐 떼가 한꺼번이 사방으로 날뛰는 듯한 소음이었다. 동시에 쨍! 하며 창이 박살 나는 소리도 들렸다.

장백두가 화들짝 놀라며 소리쳤다.

"점소이들이 도망갑니다!"

구처자가 발끈하여 소리쳤다.

"어딜!"

그는 쌍장을 휘두르며 천장을 향해 장력을 발출했다.

쾅!

나무로 만든 천장이 박살 나며 온갖 것들이 그들의 머리 위로 쏟아져 내렸다. 산산조각이 난 나무판자들은 물론, 심지어 이 층 대청에 놓여 있던 탁자와 걸상까지 우르르 떨어져 내렸다.

"흥!"

구처자는 코웃음을 치며 바닥을 박차고 높이 뛰어올랐다. 우박처럼 쏟아지던 먼지와 나무판자들이 그의 몸에도 닿지 못한 채 사방으로 튕겨 나가는 가운데, 구처자는 훌쩍 이 층 대청에 올라섰다.

구처자가 부리부리한 눈으로 점소이들을 찾기 위해 전면을 돌아보았다. 마침 전면에 이십 대 후반의 점소이 한 명이 두 손으로 빗자루를 쥔 채 우두커니 서 있는 모습이 그의 시야에 들어왔다.

구처자는 어이가 없다는 듯이 웃으며 입을 열었다.

"그 빗자루로 뭘 하려는 생각이더냐? 설마 나를 상대할 작정은 아니겠지? 저 밑의 지배인처럼 네놈도 죽고 싶어 안달이 난 모양이로구나."

구처자가 비웃으며 말하는 순간, 등 뒤에서 날카로운 검이 소리 없이 미끄러지듯 날아들어 그의 명문혈을 파고들었다.

3. 왕대(王大)

"윽."

착각처럼 들려온 얕은 신음과 함께 방금 이 층 대청으로 뛰어오른 구처자가 그대로 일 층 대청으로 곤두박질쳤다.

장백두가 그 갑작스러운 상황에 놀라고 당황하여 아무런 대응도 하지 못할 때, 멸절사태가 손을 뻗어 추락하던 구처자를 안아 들었다.

"그, 그자가……."

구처자는 부들부들 떨다가 이내 축 늘어졌다.

절명(絕命)한 것이다. 한때 천하를 호령했던 백도의 노영웅치고는 너무나도 허망하고 허무한 최후였다.

"이게 무슨……."

장백두는 아직도 무슨 일이 벌어졌는지 사태 파악이 안 되는 듯 멍한 얼굴로 중얼거렸다.

하지만 다른 노영웅들은 달랐다. 제일 먼저 무정검왕이 뻥 뚫린 이 층 대청으로 도약했고, 그 뒤를 따라 홍염철검과 운룡신창이 몸을 솟구쳤다.

장백두만이 멀뚱하게 서 있는 가운데, 멸절사태는 조심스레 구처자를 내려놓은 뒤, 전면을 살펴보고는 다시 몸을 돌려 상처 부위를 확인했다.

명문혈에 손가락 하나 들어갈 정도의 구멍이 깊게 나

있었고, 아직도 피가 꾸역꾸역 밀려 나왔다.

사인을 확인한 멸절사태의 안색이 급격하게 변했다. 그녀의 입에서 얕은 신음이 흘러나왔다.

"으음."

그 소리에 장백두는 그제야 정신을 차리며 물었다.

"일격에 당하신 건가요?"

"믿을 수 없는 일이다. 이렇게나 깔끔하게 명문혈이 파괴당하다니 말이지."

멸절사태는 대꾸 대신 엉뚱한 이야기를 했다. 장백두는 저도 모르게 재차 질문했다.

"명문혈이 파괴당한 게 그리 대단한 일입니까?"

"그것도 모르고 있느냐?"

"네? 아, 네. 죄송합니다. 아직 식견이 부족해서……."

쭈그리고 있던 멸절사태는 선장(仙杖)을 짚고 끄응 하며 자리에서 일어났다. 그리고 힐끗 뻥 뚫린 이 층 대청을 쳐다보며 말했다.

"그럼 좀 더 배우도록 하라."

그러고는 무릎을 굽히지도 않은 채 도약하여 이 층 대청 위로 훌쩍 날아올랐다.

장백두가 황급히 그 뒤를 따르려 했다. 하지만 이미 이층으로 올라선 멸절사태의 냉랭한 목소리가 그의 도약을 붙잡았다.

“너는 게서 그 지배인을 지키도록 해라.”

장백두는 닭 쫓던 개처럼 그녀의 뒷모습을 올려다보다가 이내 입술을 깨물었다. 무시를 당했다는 수치심과 분노에 그의 귓불이 새빨갛게 달아올랐다.

‘정파의 노선배라고 해서 예우해 줬더니…….’

장백두의 눈빛에 독기가 스며들었다.

‘오만한 늙은이! 반드시 내 앞에 무릎을 꿇고 사과하도록 만들어 주겠다! 당한 만큼 돌려주마!’

* * *

‘큰일이다.’

이 층 계단을 오르는 어린 점소이 오광(吳廣)의 다리가 부들부들 떨렸다.

‘내 잘못이야. 내가 함부로 입을 놀린 거야. 저자들, 지배인님의 지인들이 아니었던 거야.’

오광은 뒤늦게 자신이 순진하고 어리석었다는 사실을 깨달았다. 이 층 대청으로 향하는 계단이 한없이 길기만 하게 느껴졌다.

‘지배인께서 뭐라고 하셨더라? 다들 숨어 있으라고 했던가? 아니면 도와 달라고 하셨던가.’

워낙 당황하고 불안한 와중에 들었던 탓에, 그것도 숭

천웅이 잔뜩 소리 낮춰 중얼거리듯 말한 까닭에 오광은 조금 전의 지시 내용이 무엇인지 헷갈렸다.

겨우 이 층 대청에 오른 후에야 비로소 오광은 승천웅의 지시를 제대로 기억해 낼 수 있었다.

'그렇지. 다들 은밀하게 이곳을 빠져나가라고 전하라고 하셨지?'

오광은 마른침을 꿀꺽 삼키며 대청을 가로질러 맞은편 복도로 향했다.

복도 양쪽으로는 별채에서 투숙할 만한 돈이 없는 일반 손님들이 묵는 방들이 나란히 늘어서 있었다.

그 복도 안쪽 구석진 곳에 이르면 채광이 좋지 않아 늘 어둑어둑하고 바깥 풍광도 형편없는 두 개의 방이 있었다. 그곳이 바로 대복객잔 점소이들의 처소였다.

오광은 무릎이 부들부들 떨리고 온몸에 땀이 흥건한 가운데 힘겹게 방문을 열었다.

좁은 방안 양쪽으로는 이 층 침상이 여럿 있었고, 그곳에 점소이들이 코를 골며 잠들어 있었다.

오광은 무릎에 힘을 주어 가면서 점소이들 중 가장 고참인 왕대(王大)를 깨웠다. 왕대가 눈을 비비며 짜증을 내듯 입을 열었다.

"왜 벌써 깨우……."

왕대의 목소리가 사뭇 큰 바람에 오광이 깜짝 놀라며

그의 입을 막는 한편, 손가락으로 제 입을 가로막는 시늉을 했다.

왕대가 눈살을 찌푸리다가 문득 오광의 땀에 흠뻑 젖은 얼굴이 사색이 된 걸 보고는 그제야 눈빛을 빛내며 낮은 목소리로 소곤거렸다.

"무슨 일이냐?"

오광은 부들부들 떨리는 목소리로 아래층 상황에 관해서 설명했다. 자신의 잘못이 크다고, 자신의 책임이라고 자책하며 울먹거렸다.

왕대는 그런 오광을 향해 냉정하게 말했다.

"울고 있을 때가 아니니다. 최대한 빨리 다른 아이들을 모두 깨워서 지배인의 지시를 전달해야 한다."

"네, 왕 형님."

오광은 억지로 울음을 삼키고는 다른 점소이들을 하나 둘씩 깨우기 시작했다.

왕대는 자리에서 일어나 복도로 나가 조심스레 귀를 기울였다.

아래층 대청과는 제법 멀리 떨어져 있어서 무슨 이야기가 오가는지는 전혀 들리지 않았다. 또한 느닷없이 쳐들어온 다섯 명의 노인과 한 명의 젊은이가 어느 방면의 고수들인지도 알 수 없었다.

'하지만 숭 지배인께서 무작정 도망치라고, 그것도 아

주 은밀하게 도망치라고 하신 것만으로도 우리가 상대할 수 있는 자들이 아니라는 걸 알 수 있겠다.'

왕대는 숭천웅을 대신하여 이곳 대복객잔의 모든 점소이들과 숙수들을 지휘하는 이인자이자, 황계 악양 지부의 부지부주라는 직책을 맡고 있었다.

그런 만큼 나름대로 무공도 고강한 편이었는데, 무위만으로만 따지자면 외려 숭천웅보다 뛰어나다고 할 수도 있었다.

그러나 왕대는 경거망동하지 않았다.

노회하고 노련한 숭천웅이 무조건 도망치라고 한 만큼 그는 결코 아래층으로 내려갈 생각은 없었다. 그렇다고 무작정 도망칠 생각도 아직은 없었다.

'우선 아이들을 이곳에서 도주시키는 게 최우선이겠다. 지배인께서도 그 정도 시간은 벌어 주시겠지.'

왕대가 아는 숭천웅이라면 이런저런 쓸데없는 대화를 나누면서 점소이들이 도주할 수 있는 시간을 챙겨줄 게 분명했다. 물론 그 시간이 얼마나 될지는 모르는 만큼 최대한 빠르고 은밀하게 이곳을 빠져나가야 했다.

그가 그런 생각을 하는 동안 오광과 점소이들이 맞은편 방의 점소이들까지 모두 깨웠다.

왕대는 그들을 향해 나지막한 목소리로 말했다.

"긴급한 상황이 벌어졌다. 다들 평소 연습한 대로 비상

구를 통해 이곳을 빠져나간다. 이인 일조가 되어 사방으로 흩어져서 각자 인근 지부로 몸을 피신하고 이 상황에 대해서 보고하도록 한다.”

그의 지시는 간결하고 이해하기 쉬웠다. 십여 명의 점소이와 숙수들이 잔뜩 긴장한 기색으로 고개를 끄덕인 후 곧장 조를 짜서 움직였다.

그들은 곧장 자신들이 묵는 방 옆에 있는 창고로 향했다.

창고 안에는 온갖 청소 도구들이 가득 차 있었는데, 그들은 도구들을 한쪽으로 밀어내고 마룻바닥 한쪽을 들어 올렸다.

그러자 객잔 뒷마당으로 이어지는 굵은 동아줄 하나가 모습을 드러냈다.

점소이와 숙수들은 하나둘씩 동아줄을 타고 객잔 뒷마당으로 내려선 후 곧장 사방으로 흩어져 도주했다.

홀로 남게 된 왕대는 다시 마룻바닥을 덮고 청소 도구들을 그 위에 올려 둔 후 창고 문을 닫았다.

그는 복도를 서성거리며 잠시 고민하다가 다시 제 방 침상으로 돌아와 침상 밑을 뒤적거려 새장을 꺼냈다. 새장 안에는 비둘기 한 마리가 곤히 잠들어 있었다.

왕대는 소매를 찢어 손가락에서 피를 내 묻힌 다음, 비둘기를 꺼내 발목에 그 피 묻은 천을 감았다. 그러고는 소리 나지 않게 창을 열고 비둘기를 날려 보냈다.

비둘기는 막 동이 터오는 동쪽 하늘을 향해 힘차게 날아갔다.

'그들에게도 연락을 보냈으니 이제 내 할 일은 끝났다.'

왕대는 잠시 호흡을 가다듬으며 생각했다. 비상 도주로를 닫았으니 그가 도망칠 길은 딱 하나, 창을 열고 뛰어내리는 방법뿐이었다.

'이왕 도망칠 거, 저들의 이목을 분산시키는 것도 나쁘지 않은 방법일 것 같다.'

왕대는 머리를 굴렸다.

일부러 소란을 일으키며 도주하면 그를 쫓기 위해 놈들의 전력이 분산될 터, 그러면 승천웅이 살아날 일말의 희망이 생길지도 몰랐다.

그렇게 결정을 내린 왕대는 창고에서 빗자루를 하나 꺼내 들고 복도로 나섰다.

바로 그때였다.

"파천!"

일 층에서 승천웅이 외친 격렬한 고함이 왕대에게까지 들려왔다.

'지부주께서는 스스로의 죽음을 도외시한 채 우리에게 도주하라고 말씀하시는구나.'

일순 왕대의 눈가가 붉게 달아올랐다. 그는 이를 악물며 빗자루로 복도 바닥을 마구 두드리며 대청을 향해 달려갔다. 대청을 단번에 가로지른 다음 몸을 날려 창을 뚫고 밖으로 도주할 심산이었다.

챙!

바로 그 순간, 창이 박살 나며 한 사내가 이 층 대청으로 날아들었다.

'어라?'

왕대가 깜짝 놀라며 그 자리에 멈췄다.

콰앙!

뒤이어 대청이 산산조각이 났다. 객잔 전체가 출렁이듯 흔들렸다.

왕대가 움찔 놀라 저도 모르게 두 손으로 빗자루를 움켜쥐었다. 바로 그때, 크게 뚫린 구멍 속에서 한 명의 노도사가 훌쩍 뛰어 올라왔다.

노도사는 가볍게 대청에 착지하더니 왕대를 바라보며 피식 비웃었다.

"그 빗자루로 뭘 하려는 생각이더냐? 설마 나를 상대할 작정은 아니겠지? 저 밑의 지배인처럼 네놈도 죽고 싶어 안달이 난 모양이로구나."

5장.

검명파문(劍鳴波紋)

강호 무림에는 문파의 수만큼,
무림인의 수만큼 수많은 무공과 검법이 존재한다.
하지만 그 수천, 수만이나 되는 검법을 단순하게 분류한다면
크게 정검(正劍), 쾌검(快劍), 중검(重劍), 환검(幻劍), 둔검(鈍劍),
이렇게 다섯 가지로 나눌 수가 있었다.

1. 목 교부

다행인지 불행인지는 모르겠지만 숭천웅이 제공한 안가는 대복객잔에서 일직선으로 대략 이삼 리 정도밖에 떨어져 있지 않은, 평범한 일반 장원이었다.

왕대가 날린 비둘기는 순식간에 장원에 당도했고, 객청 앞 나뭇가지에 내려앉은 채 구구구구 울기 시작했다. 객청의 문이 열리고 담우천이 걸어 나왔다.

아직 새벽이었고 밤늦게까지 술을 마셨지만, 언제나 그렇듯 담우천은 누구보다 일찍 일어나 홀로 객청에 앉아서 차를 마시던 참이었다.

담우천은 비둘기의 발목에서 피 묻은 천을 확인했다.

그는 그 피 묻은 천이 무슨 의미인지 금세 이해할 수 있었다.

―객잔에서 변고가 생겼으니 속히 안가를 벗어나 안전한 곳으로 피신하십시오.

피 묻은 천에는 그런 의미가 담겨 있었다.

담우천은 대복객잔이 있는 방향으로 시선을 돌리고 잠시 생각에 잠겼다. 그러고는 객청으로 돌아가 탁자 위에 피 묻은 천을 내려놓은 다음 손수건으로 얼굴을 가리고는 곧장 대복객잔으로 신형을 날렸다.

지붕에서 지붕을 타면서 전서구가 날아온 속도보다도 더 빠르게 대복객잔 인근에 당도한 그는, 계속해서 경공술을 펼치면서 순간적으로 상황을 판단했다.

'일 층으로 들어서려면 빙 돌아야 한다. 차라리 이 층으로 뛰어 올라가서 대청 바닥을 부수고 내려가는 게 더 빠르리라.'

놈들이 어디 있는지는 알 수 없었다. 재수가 좋으면 이 층에서 곧장 마주칠 수도 있었다.

담우천은 지붕을 박차며 크게 도약했다. 거리 하나를 훌쩍 뛰어넘은 그는 곧바로 이 층 창을 깨고 안으로 들어섰다.

'음?'

전면에서 창을 향해 막 달려오던 점소이가 움찔거리며 멈춰 서는 게 그의 시야에 들어왔다. 담우천은 그에게서 시선을 떼며 대청 바닥을 부수려 했다.

쾅!

바로 그 순간, 갑자기 화약이라도 터진 듯한 소리와 함께 대청 바닥이 박살 나며 이내 커다란 구멍이 생겼다. 건물이 크게 흔들렸고, 흙먼지가 사방으로 흩어졌다.

담우천은 움찔거렸다.

실로 공교롭기 그지없었다. 누군가 자신보다 먼저 대청 바닥을 부순 것이다.

그렇게 담우천보다 한발 앞서서 바닥을 부순 자는 도관을 쓴 늙은 도사였고, 그는 붕괴된 이 층 마룻바닥을 통해 훌쩍 뛰어 올라왔다.

그 뒷모습만으로도 그 늙은 도사가 누구인지 담우천은 알아차릴 수 있었다. 어젯밤 교룡회 연무장에서 부딪쳤던 백도의 노기인들 중 한 명인 구처자였다.

담우천의 절로 낯이 찌푸려졌다.

'예까지 추격해 온 것인가?'

구처자는 전면을 둘러보다가 자신의 등 뒤에 담우천이 우뚝 서 있다는 것도 알아차리지 못하고, 마침 빗자루를 움켜쥔 채 그의 정면에 서 있던 왕대를 향해 비웃음을 날렸다.

“그 빗자루로 뭘 하려는 생각이더냐? 설마 나를 상대할 작정은 아니겠지? 저 밑의 지배인처럼 네놈도 죽고 싶어 안달이 난 모양이로구나.”

그 말을 듣자마자 담우천의 눈가에 다급한 기색이 스며들었다.

‘승 지배인이 아직 살아 있을 수도…….’

그 일말의 가능성을 떠올리는 순간 담우천은 다른 그 어떤 생각도 할 수 없었다. 최대한 빨리 이 상황을 정리하고 그를 구출해야겠다는 일념(一念), 오직 그 한 가지 생각만이 담우천의 정신과 육체를 지배했다.

담우천은 무의식적으로 거궐을 뽑아 들고는 구처자의 명문혈을 찔렀다.

등 뒤의 기척을 전혀 눈치채지 못한 구처자는 무언가 한없이 날카로운 게 자신의 명문혈을 꿰뚫는 순간, 대경실색하며 황급히 호신강기를 극한으로 끌어올렸다.

원래 구처자는 굳이 의식하거나 발동하지 않아도 미미하게나마 호신강기를 전신에 두르고 있었다.

아니, 미미하다고는 하지만 언제 어떤 상황이 벌어질지 모르는 까닭에, 웬만한 기습에는 충분히 대처할 수 있을 정도의 호신강기였다.

특히 명문혈과 같은 중요 사혈들은 매우 엄중하게 방비

를 하기 때문에 구처자 정도 되는 절정 고수가 암습에 의해 명문혈이 파괴되는 경우는 거의 없었다.

그게 일 층에서 멸절사태와 장백두가 나눴던 문답의 해답이었다.

하지만 담우천의 기습은 웬만한 기습이 아니었다. 그의 일검은 극한으로 끌어올린 호신강기조차 산산조각 낼 수 있는 위력과 살기가 담겨 있었다.

거기에다가 구처자의 대응조차 이미 한발 늦은 상황, 담우천의 거궐에 의해 그의 호신강기는 제대로 된 저항조차 하지 못한 채 명문혈이 파괴되었다.

명문혈은 인체에 산재한 사혈 중에서도 가장 위험한, 손가락으로 제대로 짚기만 하면 즉사시킬 수 있는 사혈이었다. 그 명문혈이 파괴되었으니 천하의 구처자라 할지라도 어쩔 도리가 없었다.

"으윽."

얕은 신음이 입에서 흘러나오는 가운데, 구처자가 마지막 기력을 다해 뒤를 돌아본 것만 하더라도 그의 평소 내력이 얼마나 대단한지 알 수 있는 대목이었다.

자신을 암습한 자의 얼굴을 확인한 구처자의 눈이 화등잔만 하게 커졌다.

반면 담우천은 무심한 표정을 유지한 채 경악에 물든 구처자를 가볍게 발로 밀어 일 층으로 떨어뜨리며 중얼거렸다.

"잘 가시오."

구처자가 떨어진 일 층에서 놀란 목소리들이 들려왔다. 담우천은 힐끗 왕대를 바라보며 나지막하게 말했다.

"도망치게."

왕대는 멍하니 서 있다가 그제야 화들짝 정신을 차리고는 황급히 복도 안쪽으로 달려갔다. 왕대는 자신이 이곳에 더 있어 봤자 담우천의 짐밖에 되지 않는다는 사실을 정확하게 인지하고 있었던 것이다.

그 순간, 뻥 뚫린 구멍 속에서 세 명의 노인들이 차례로 튀어나와 이 층 대청에 내려섰다.

'역시 어제 그 노기인들이군.'

담우천은 그들의 면면을 훑어보다가 일순 한 노인의 얼굴을 보고는 그대로 시선이 얼어붙었다.

'목 교부…….'

노기인들 중 제일 먼저 이 층으로 올라온 자, 무정검왕은 담우천을 보며 살짝 고개를 갸웃거렸다.

"날 알아보는 눈치로군."

담우천은 무정검왕을 알아보았지만 무정검왕은 손수건으로 얼굴을 가린 채 눈만 내놓은 그를 전혀 알아보지 못했다.

아니, 얼굴을 드러내도 알아보지 못했을 것이다. 세월

의 흔적이 고스란히 묻어 있는 사십대 중년인의 얼굴에서 코흘리개 소년을 기억해 내는 건 무리였으니까.

담우천은 무뚝뚝하게 말했다.

"강호에서 무정검왕을 모르는 이가 어디 있겠소?"

"내 얼굴이 그리 많이 알려져 있었던가?"

무정검왕은 고개를 갸웃거리며 담우천을 바라보았다. 낯설지만 왠지 낯설지 않게 느껴지는 얼굴이었다. 무정검왕은 잠시 담우천을 바라보다가 문득 그가 쥔 검으로 시선을 돌렸다.

일순 무정검왕의 눈빛이 살짝 빛났다.

그는 저도 모르게 고개를 끄덕이며 중얼거렸다.

"좋은 검이로군."

담우천은 무정검왕의 얼굴에서 시선을 떼지 않은 채 대꾸했다.

"확실히 좋은 검이오."

"내 지인이 그 검을 두고 거궐이라고 하던데……."

담우천은 그제야 무정검왕의 등 뒤에 서 있는 노인들을 바라보았다.

어젯밤 검을 겨뤘던 홍염철검과 운룡신창이 담우천을 죽일 듯한 시선으로 노려보고 있는 가운데, 마지막으로 한 명의 늙은 여승이 이 층 대청으로 사뿐히 뛰어올라왔다.

'이런…….'

담우천의 눈빛이 미미하게 흔들렸다.

'멸절사태까지 왔다니.'

상황이 생각보다 좋지 않게 흘러가고 있었다.

무정검왕과 멸절사태는 비록 같은 배분의 노기인들이라고는 하지만, 구처자와 홍염철검, 운룡신창들보다 한 수 위의 무위를 지니고 있었다.

저 공적십이마들과 일대일로 부딪쳐도 전혀 뒤지지 않을 정도의 실력을 지닌 초절정의 고수가 바로 그들 두 사람이었다.

'한 명 정도라면 모르겠는데…….'

사실 무정검왕 한 명만으로도 벅찬 상황이었다. 비록 암습으로 구처자를 해치웠다고는 하지만 만만치 않은 실력을 지닌 홍염철검과 운룡신창이 아직 남아 있었으니까.

그런데 거기에다가 무정검왕에 버금가는 무위를 지닌 멸절사태까지 모습을 드러낸 것이다. 천하의 담우천이라 할지라도 난감해질 수밖에 없는 순간이었다.

'흠, 이럴 줄 알았다면 군악들 모두 데리고 왔어야 하는 건데.'

뒤늦게 후회가 일었다. 그러나 급박했던 상황을 생각하면 당시 담우천의 행동은 최선이었다.

그렇게 담우천이 내심 당황하고 있을 때였다. 무정검왕

이 천천히 입을 열었다.

"구처자를 살해한 이유는?"

담우천은 하마터면 피식 웃을 뻔했다.

'그런 질문을 하다니, 목 교부답군.'

담우천은 무심하게 대꾸했다.

"귀하들이 예까지 우리를 쫓아왔으니까."

"그렇다면 우리 모두를 죽일 작정인가?"

"귀하들이 우리를 포기하고 돌아간다면 죽일 것까지는 없지."

"허어!"

운룡신창이 노기 가득한 탄식을 내뿜더니 이내 눈을 부라리며 외쳤다.

"오만방자하기 그지없는 작자로구나! 네놈이야말로 살아서 이 자리를 빠져나갈 생각은 추호도 하지 마라!"

수십 년 지기가 창졸간에 목숨을 잃었다. 당장 미친 듯이 발작해도 부족한 판이었으나, 담우천과 대화를 나누는 무정검왕의 체면을 생각하여 운룡신창은 지금 억지로 화를 누르고 있던 참이었다.

그런데 정작 담우천은 마른 장작에 기름을 붓고 있었다.

담우천이 그를 바라보며 차분한 어조로 말했다.

"그 이야기는 어젯밤에도 들은 것 같은데."

운룡신창의 얼굴이 분노와 모멸감으로 새빨갛게 물들

었다. 그는 토막 난 창을 꺼내 들며 당장이라도 담우천을 향해 덤벼들려고 했다.

하지만 그보다 무정검왕의 입이 먼저 열렸다.

"자네의 동료들은 어디에 있지?"

담우천은 고개를 갸우뚱거리며 대답했다.

"아직 해 뜨기 전이니까 어딘가에서 자고 있을 것이오."

"자네의 팔을 자르면 답을 할 건가?"

"자를 수만 있다면 그리해 보시오."

담우천이 그렇게 대꾸하는 순간이었다.

보이지 않는 속도로 무언가 한없이 날카로운 것이 그의 팔을 베어 왔다.

담우천은 왼발을 뒤로 크게 빼면서 몸을 비스듬하게 세웠다. 허공을 그은 예기(銳氣)가 곧장 방향을 바꿔 재차 그의 팔을 베었다. 담우천은 다시 오른발은 뒤로 빼면서 반대로 몸을 틀었다.

그의 팔을 노리고 파고 들던 예기는 짓쳐 들어왔을 때처럼 소리도 없이 사라졌다.

스팟!

그제야 뒤늦게 한 줄기 검광(劍光)이 허공을 가르는 소리가 들려왔다.

2. 늙은 여우같으니라고

담우천은 다시 자세를 고쳐 잡으며 왼쪽 팔을 힐끗 내려다보았다. 분명 미리 준비한 상태에서 제대로 피한다고 피한 것 같은데, 어느새 찢어진 옷자락은 피에 물들고 있었다.

'역시 목 교부로군.'

담우천은 가볍게 입술을 깨물며 무정검왕을 바라보았다.

이때 무정검왕의 무심한 눈빛은 평소와 달리 가볍게 흔들리고 있었다.

저 중년인이 만만한 상대가 아니라는 건 무정검왕도 이미 알고 있었다. 홍염철검들을 통해 이런저런 이야기를 듣기도 했지만, 무엇보다 구처자를 단 일검에 해치운 작자였으니까.

게다가 직접 마주 서서 바라본 중년인은 천하의 그 어떤 것도 다 집어삼킬 듯한 흉흉한 기세와 무위를 뿜어내고 있었다. 이 정도로 강렬한 투기를 지닌 자는 저 공적십이마 이후 처음이었다.

그럼에도 불구하고 무정검왕은 자신의 쾌검을 믿었다. 공적십이마 중 한 명을 척살하고 구천십지백사백마 중 열세 명의 목숨을 끊은 전적이 있는 쾌검이었으니까.

하지만 저 중년인은 보란 듯이 무정검왕의 쾌검을 피했다, 그것도 두 번씩이나.

비록 부상을 입혔다고는 하지만 그건 어디까지나 살갗에 약간의 상처를 내는 정도에 불과했다.

그게 무정검왕이 전력을 다한 쾌검의 결과라고 한다면 확실히 불만족스러울 수밖에 없었다. 아니, 어떤 의미에서 보자면 패배감마저 들 정도의 결과였다.

"세상은 넓군."

무정검왕은 무심한 어조로 중얼거렸다.

"내 검에 맞설 상대는 오직 무상검마뿐이라고 생각했는데…… 아무래도 내가 너무 오만했던 것 같다."

마침 담우천도 내심 비슷한 생각을 하고 있었다.

'만약 내가 목 교부에게 가르침을 받지 않았더라면, 그의 발검술(拔劍術)을 전혀 모르고 있었다면 아무것도 모르는 채로 팔이 잘렸을 것이다.'

어린 시절 담우천은 그 지옥 같은 곳에서 무정검왕 목부강에서 수년 동안 가르침을 받은 바가 있었다.

목부강은 담우천을 비롯한 소년, 소녀에게 검을 쥐는 법부터 시작하여 초식과 검술, 그리고 나아가 쾌검(快劍)과 중검(重劍), 환검(幻劍)과 둔검(鈍劍) 등 모든 검법에 대해 가르쳤다.

그는 다른 교부들과는 달리 언제나 유쾌하고 호탕해

서, 담우천을 비롯한 아이들은 그가 가르치는 시간만을 기다렸다.

하지만 시간이 흐르고 세월이 지나면서 그런 목부강도 차츰차츰 변해 갔다.

자신이 가르치던 아이들이 하나둘씩 죽는 걸 보게 되면서 유쾌하게 떠들던 목부강은 사라졌다.

말이 없어지고 인상이 무거워졌으며 언제나 그늘진 표정의 목부강이 그 자리를 대신했다. 그리고 언제부터인가 목부강은 한 자루의 칼처럼 냉정하고 싸늘하며 엄하게 아이들을 가르치기 시작했다.

특히 담우천에게는 더욱 심해서 자신의 가르침을 제대로 소화할 때까지 잠도 재우지 않고 밥도 먹이지 않았다. 담우천은 그런 목부강을 '귀신 교부'라고 부르기도 했다.

세월이 계속 흘러 이윽고 담우천이 검기를 자유자재로 사용할 즈음에, 목부강은 그곳에서 자취를 감추고 말았다. 그에게 가르침을 받던 오백여 명의 아이들이 불과 오십 명 정도밖에 남지 않았을 무렵의 일이었다.

'그러고 보니 벌써 삼십 년 정도 된 일이네.'

담우천의 눈가에 회상의 그림자가 어른거릴 때였다. 뻥 뚫린 구멍에서 한 사내가 높이 솟구쳐 올랐다가 이 층 대청으로 안착했다. 장백두였다.

멸절사태가 그를 돌아보고는 눈살을 찌푸리며 물었다.

"지배인은 어찌하고 올라왔느냐?"

장백두는 태연하게 대꾸했다.

"놓아주었습니다."

그 의외의 대답에 멸절사태뿐만 아니라 운룡신창과 홍염철검까지 눈을 휘둥그레 떴다.

"아니, 왜?"

장백두는 당연하다는 듯이 말했다.

"우리가 쫓던 자와 이렇게 마주하고 있으니까요. 그러니 그 지배인의 효용도는 이미 사라지지 않았습니까? 설마하니 효용 가치가 사라졌으니 인정사정 볼 것 없이 죽여라, 하고 말씀하시는 건 아니겠지요? 그것도 천하의 대영웅이신 멸절사태께서 말입니다."

그 정중한 어조 속에 담긴 비꼼과 비아냥을 느낀 것일까. 멸절사태의 눈빛이 고약스럽게 변했다.

하지만 장백두는 전혀 기죽지 않았다. 외려 기쁜 표정을 지으며 멸절사태를 정면으로 마주 보았다.

* * *

장백두는 꼿꼿하게 선 채 이 층으로 뛰어오른 멸절사태의 뒷모습을 노려보며 이를 갈았다.

'오만한 늙은이! 반드시 내 앞에 무릎을 꿇고 사과하도

록 만들어 주겠다! 당한 만큼 돌려주마!'

그는 내심 중얼거리고는 곧바로 숭천웅을 돌아보았다.

저승 입구까지 갔다가 살아남은 숭천웅은 팔이 잘린 부위를 황급히 지혈하면서 장백두를 훔쳐보는 중이었다. 그의 얼굴에는 긴장한 기색이 역력하게 드러나 있었다.

장백두가 한숨을 쉬며 말했다.

"꺼지시오."

"응?"

숭천웅의 눈이 휘둥그레졌다. 장백두는 아무렇게나 손을 내저으며 말했다.

"우리가 쫓던 자들이 제 발로 돌아왔으니 이제 당신은 소용없게 되었소. 그렇다고 함부로 죽일 정도로 모질고 악랄한 사람은 아니니까 얼른 눈앞에서 사라지시오."

숭천웅은 어안이 벙벙한 눈으로 잠시 장백두를 바라보다가 그에게서 시선을 떼지 않은 채 슬금슬금 뒷걸음질로 후문을 향해 움직였다.

장백두는 그렇게 자신을 잔뜩 경계하며 움직이는 숭천웅을 보고는 피식 웃었다.

"그렇게 경계하지 않아도 되오. 한 입으로 두말하지는 않을 터이니."

그렇게 말한 장백두는 한껏 무릎을 굽혔다가 도약하며 이 층으로 뛰어올랐다.

* * *

장백두는 멸절사태가 눈을 부라리며 자신을 노려보는 모습에 통쾌한 감정을 느꼈다.

후환이야 벌써부터 걱정할 필요는 없었다. 지금은 단지 자신의 말에 제대로 대답하지 못한 채 얼굴만 붉히고 있는 멸절사태의 모습을 즐기기만 하면 되는 것이다.

장백두의 등장에 대청의 분위기가 어수선해졌다. 조금 전까지 대청을 가득 메우고 있던 무거운 살기가 온데간데없이 사라졌다.

무정검왕은 가볍게 한숨을 내쉬고는 담우천을 바라보며 입을 열었다.

"다시 한번 기회를 주겠네. 그대의 동료들이……."

"필요 없소."

담우천은 잘라 말했다. 그러고는 한 발을 뒤로 빼며 거궐을 앞으로 내밀고는 차분하고 담담한 어조로 말을 이었다.

"서로 긴말하지 맙시다. 한꺼번에 모두 덤벼도 좋으니 최대한 빨리 끝냅시다."

"허어!"

운룡신창이 어처구니가 없다는 듯이 탄식을 내뱉더니

곧장 앞으로 걸어 나오며 말했다.

"좋아! 네놈의 그 오만방자함이 어디까지 가나 한 번…… 헉!"

노한 목소리로 말하던 운룡신창은 황급히 헛바람을 집어삼키며 어깨를 틀었다.

하지만 그의 반응은 늦었다. 어느새 담우천의 쾌검이 그의 어깨를 찌르고 있었다.

일순 무정검왕의 눈빛이 일렁거렸다. 그의 쾌검에 비해서도 전혀 뒤떨어지지 않는 속도였다.

"어딜!"

홍염철검이 격노한 일성을 터뜨리며 담우천의 텅 빈 옆구리를 향해 검을 내질렀다.

담우천은 운룡신창의 어깨를 찌른 것보다 더 빠르게 검을 빼 홍염철검의 검을 내리쳤다. 마치 후발제선(後發制先)의 오묘한 이치처럼 담우천의 거궐은 정확하게 홍염철검의 검을 두 동강 냈다.

홍염철검의 얼굴이 급격하게 달아올랐다. 벌써 두 번째 자신의 검이 박살 난 것이다. 검을 생명처럼 여기는 검객의 입장에서 보자면 두 번이나 목숨을 잃은 것과 다를 바가 없는 상황이었다.

"노옴!"

홍염철검은 크게 고함을 내지르며 담우천을 향해 부러

진 검을 내던졌다. 동시에 쌍장을 격하게 휘두르며 미친 듯이 장력을 쏟아부었다.

창졸간에 어깨를 찔린 운룡신창도 가만히 있지 않았다.

"그래, 어디 한번 해보자!"

그 역시 고함을 치면서 부러진 창을 양손으로 나눠 든 채 격렬하게 휘두르기 시작했다.

창날이 있는 쪽은 창처럼 찔러 가면서 막대 부위만 남아 있는 쪽은 몽둥이나 칼처럼 휘두르는데, 그 격렬하고 매서운 공세는 그야말로 폭풍과도 같이 담우천을 휘몰아쳤다.

두 사람의 협공은 마치 수십 년 합을 맞춘 듯 딱딱 맞아떨어졌다. 그 파상적인 공세에 당황한 듯 담우천은 주춤거리며 계속해서 뒤로 물러나고 있었다.

아무래도 다수로 한 명을 핍박하는 게 마음에 들지 않은 듯 싸움에 합류하지 않고 그 광경을 지켜보던 멸절사태가 갑자기 도약하여 담우천의 머리 위를 날았다.

담우천은 움찔거리며 그녀의 기습에 방비하려는 자세를 취했으나, 멸절사태는 아랑곳하지 않고 그를 뛰어넘어 창가로 내려섰다.

그러고는 선장으로 바닥을 찧으며 싸늘하게 말했다.

"도망칠 생각은 추호도 하지 마라."

일순 담우천의 눈가에 낭패의 빛이 희미하게 스쳐 지나갔다. 아닌 게 아니라 담우천은 상황을 보다가 틈이 생기면 곧바로 창을 뚫고 도주하려 했던 참이었다.

'늙은 여우 같으니라고.'

담우천은 호흡을 가다듬었다.

"그렇다면 더는 봐줄 필요가 없지."

그는 거궐을 고쳐 쥐고는 둥글게 회전시켰다. 일순 그의 검이 수십 가닥으로 갈라지며 사위를 가득 메웠다. 지켜보던 장백두가 깜짝 놀라 소리쳤다.

"환검!"

3. 환검(幻劍)

강호 무림에는 문파의 수만큼, 무림인의 수만큼 수많은 무공과 검법이 존재한다.

하지만 그 수천, 수만이나 되는 검법을 단순하게 분류한다면 크게 정검(正劍), 쾌검(快劍), 중검(重劍), 환검(幻劍), 둔검(鈍劍), 이렇게 다섯 가지로 나눌 수가 있었다.

정검은 일반적인 검법을 가리키는 말이었다. 이른바 영자팔법(永字八法)으로 대변되는 측륵노적책략탁책(側勒

努趯 策掠啄磔)의 운용이 바로 그것이었다.

찌르고, 가로로 비껴 올리고, 세로로 내리긋고, 갈고리처럼 뿌리고, 왼쪽에서 비스듬히 오른쪽으로 올리고, 왼쪽 아래로 털어 떼어 내고, 오른쪽에서 왼쪽으로 짧게 삐치며, 오른쪽 아래로 끌어당기는 여덟 가지의 운검(運劍)은 강호 무림에 존재하는 모든 검법의 기초이자 근원이 되는 방법이었다.

강호의 수많은 문파들 중에서 굳이 분류한다면 무당파의 검법이 대표정인 정검이라 할 수 있었다.

한편 쾌검은 말 그대로 빠르게 검을 내지르는 검술을 뜻하는데, 그 기본은 발검(拔劍)에서 시작한다.

검집에서 얼마나 빠르게 검을 빼느냐에서 시작하여, 뺀 검이 어떻게 최단 거리를 만들어 내면서 목표물을 찌르느냐에 이르기까지 제대로 하나가 되어야만 비로소 쾌검이 완성된다 할 수 있었다.

완성된 쾌검은 조금 전 무정검왕이 보여 주었듯이 상대가 전혀 인지하지 못한 상태에서 목표한 바를 찌르거나 베고 다시 검을 회수할 수가 있었다.

그런 연유로 인해 세상 그 어떤 검법도 쾌검의 속도를 이길 수 없다고 주장하는 혹자(或者)들이 꽤 많았다.

중검(重劍)을 단순하게 표현한다면 내공을 운용하여 검을 무겁게 만드는 수법이라 할 수 있었다. 부딪치는 모든 걸 부수고 박살 내고 파괴하는 수법이 바로 중검이었다.

즉, 어떤 의미에서 보자면 내공을 운용하여 일반 보통의 검을, 거궐과 같은 신병으로 변화시키는 수법이라 할 수 있었다.

그리고 환검(幻劍)은 눈이 현혹되고 시야가 어지러울 정도로 기기묘묘하고 변화무쌍한 움직임을 보여 주는데, 매화검법(梅花劍法)으로 유명한 화산파의 검법이 대표적인 환검이었다.

검극(劍極)으로 허공에 매화를 그려 내고, 그 매화 하나하나가 곧 필살의 검기가 되어 상대의 전신 요혈을 파고드는 수법이 바로 매화검법이었으니까.

둔검은 정중동(靜中動)을 표방하고 느림으로 빠름을 제압하고, 작은 움직임으로 커다란 파도를 물리치는 응물자연(應物自然)을 추구하는 검법이었다.

또한 둔검은 곧 힘을 쓰지 않고 뜻을 쓴다는 의미의 용의불용력(用意不用力)을 화두(話頭)로 삼는다.

작은 것이 큰 것을 이기는 도리, 최소한의 힘으로 최대한의 힘을 내는 묘리는 바로 그 용의불용력에서 시작한다 할 수 있었다.

강호에서 찾아보자면 소림사의 소림둔검(少林鈍劍)이 둔검의 대표적인 검법이라 할 수 있었는데, 그 소림둔검을 완벽하게 깨우친 승려는 수백 년 소림사의 역사를 통

틀어 불과 다섯도 되지 않았다.

* * *

형문파의 경우, 굳이 따지자면 환검을 추구하는 검파(劍派)라고 할 수 있었다.

형문파의 검법은 날카롭고 현란하여 무궁무진한 묘용을 지녔으며, 검의 궤적은 기이하여 앞으로 찔러 들어올지 옆으로 베어 들어 올지 마지막까지 종잡을 수가 없었다.

그 형문파의 검법을 수련한 장백두의 눈에 들어온 담우천의 검법은 그야말로 자신과 자신의 문파가 추구하는 환검의 완성된 경지였다.

단 한 번 검을 휘두르자 수십 갈래의 검기가 사방으로 뻗어 나와, 어느 것이 허초(虛招)이고 어느 것이 진초(眞招)인지 알 수 없게 만드는 환검,

아니, 어쩌면 그 모든 검기가 진초일지도, 외려 그럴 가능성이 농후한 검법.

그게 바로 형문파가 추구하고 도달하고자 하는 경지의 환검이었다.

그러니 담우천이 검법을 펼치는 순간 장백두가 저도 모르게 크게 놀라 부르짖은 건 어쩌면 너무나도 당연한 일이었다.

또 놀란 사람은 장백두만이 아니었다. 특히 무정검왕은 그야말로 깜짝 놀라 눈이 휘둥그레질 지경이었다.

'환검까지?'

조금 전 담우천은 무정검왕 못지않은 쾌검의 일식(一式)을 펼쳐서 운룡신창과 홍염철검을 물리친 바가 있었다. 무정검광은 그 광경을 지켜보면서 담우천의 검법이 쾌검류에 특화되어 있다고 생각했다.

일반적으로 하나의 검파(劍派)를 완성시키기 위해서는 다른 검파는 소홀해질 수밖에 없었다. 그런데 지금 담우천은 거의 쾌검과 같은 완벽한 수준으로 환검을 펼치고 있는 것이다. 그것도 이제 겨우 사십대 중반의 나이로.

'하지만 쾌검과 환검은 비슷한 검파이니까 가능할 법도 하지.'

무정검왕은 애써 침착함을 유지한 채 담우천과 홍염철검, 운룡신창의 싸움을 지켜보았다.

사실 담우천의 환검에 가장 놀란 사람들은 역시 그와 맞서 싸우고 있는 홍염철검과 운룡신창이었다.

그들은 단 일검만으로 자신들의 공격을 막아 내고 외려 빈틈을 파고들며 역습을 취하는 담우천의 환검에 황급히 뒤로 물러서야만 했다.

'세상에! 서른여섯 개의 검기가 모두 진초라니.'

홍염철검은 그 순식간에 펼쳐졌던 수십 갈래의 검기들

이 하나같이 예리한 내력이 실린 진초라는 사실에 혀를 내둘렀다.

물론 그 짧은 순간에 펼쳐졌다가 화려하게 사라진 검기의 개수가 서른여섯 개라는 걸 확인한 그의 식견 또한 놀랍기 그지없었다.

"어디서 감히 눈을 현혹시키려 드느냐?"

담우천의 환검을 피하느라 연거푸 서너 걸음이나 물러나야 했던 운룡신창은 다시 앞으로 한 걸음 내디디며 두 손을 하나로 합쳐 힘껏 내질렀다.

한껏 압축되었다가 한꺼번에 폭발하는 듯한 굉음이 일었다. 그의 두 손에 가득 모였던 내공이 가공할 위력의 장력으로 바뀌면서 그대로 담우천을 향해 폭사했다.

우르릉!

그야말로 질풍노도와 같이 밀려 쏟아지는 장력이었다.

담우천은 좌시하지 않은 채 보법을 밟았다. 한순간 그의 신형이 흐릿해지나 싶더니 이내 신기루처럼 그 자리에서 사라지는 요술과도 같은 환섬신루의 보법이 펼쳐졌다.

이내 그의 신형이 흐릿해졌다. 운룡신창의 장력은 그 흐릿해진 신형을 향해 거침없이 쏘아졌다.

장력이 신형을 강타하는 순간 담우천의 흔적은 씻은 듯이 사라졌고, 장력은 텅 빈 공간을 허무하게 지나쳐 객잔

벽을 강타했다.

콰앙!

귀가 멀 것 같은 굉음이 터졌다. 벽에 사람 두어 명이 들어갈 수 있는 구멍이 뚫렸고, 건물 전체가 크게 흔들렸다.

"이 미꾸라지 같은 녀석!"

운룡신창은 뜨거운 콧바람을 내뿜으며 황급히 주위를 둘러보았다.

하지만 어디에고 담우천의 신형은 보이지 않았다. 마치 그대로 허공으로 증발한 듯 보였다.

바로 그때였다.

"어쭙잖은 눈속임이로군."

무정검왕이 나지막하게 중얼거리는가 싶더니 한순간 검을 빼 들어 허공 한가운데를 찔렀다. 그의 검은 보이지 않을 정도로 빠르게 운룡신창과 홍염철검 사이의 빈 공간을 정확하게 찔렀다.

놀랍게도 아무것도 없는 허공을 찔러 간 무정검왕의 검극에 피가 묻어났다. 그리고 그 빈 공간에서 담우천의 신형이 흐릿하게 모습을 드러내는가 싶더니 순식간에 다시 자취를 감췄다.

그러나 무정검왕은 마치 그 흔적 없이 사라진 담우천의 모습이 똑똑하게 보인다는 듯 허공을 따라 시선을 돌리며 말했다.

"그런 조잡한 재주에 의존하다니 지닌 재능이 아깝군 그래. 눈먼 봉사가 아닌 한 그런 눈속임에 속아 넘어갈 리가 없지 않겠는가?"

홍염철검과 운룡신창의 귓불이 슬그머니 달아올랐다. 졸지에 눈먼 봉사가 되었지만 그들은 꿀 먹은 벙어리인 양 입을 꾹 다문 채 아무 말도 하지 않았다.

무정검왕의 시선이 머문 곳에서 담우천의 모습이 드러났다. 그의 왼팔에서 피가 뚝뚝 떨어지고 있는 것이, 조금 전 무정검왕의 쾌검에 당한 듯 보였다.

하지만 담우천의 표정에는 여전히 변화가 없었다. 그는 무심하고 담담한 눈길로 무정검왕을 바라보며 천천히 입을 열었다.

"역시 대충 만든 보법으로는 눈먼 봉사들만 속일 수 있나 보오. 제대로 된 고수를 만나니 전혀 쓸모가 없구려."

홍염철검과 운룡신창의 얼굴에 노기와 부끄러운 기색이 교차했다. 그러나 이번에도 그들은 뭐라 대꾸하지 못했다.

무정검왕이 고개를 끄덕이며 담우천의 말을 받았다.

"맞네. 모름지기 검을 쥐었다면 오로지 진검승부에 목숨을 걸어야 하는 법. 무기가 어떻다느니, 보법이 어떻다느니 하는 건 필부(匹夫)의 변명에 지나지 않네."

이번에는 홍염철검과 운룡신창은 물론 뒤쪽에 서 있던

장백두의 얼굴까지 시뻘겋게 달아올랐다. 그들은 담우천이 보검을 들었기에 이길 수 없다고 말했으며, 또한 신출귀몰한 보법을 주의해야 한다고 말했다.

그러나 무정검왕은 담우천의 보검에 맞서 전혀 밀리지 않는 승부를 보여 주었고, 홍염철검들이 단단히 주의하라고 조언했던 환섬신루를 꿰뚫어 보고 외려 담우천에게 상처까지 입힌 것이다.

'당금 천하에서 가장 강하다고 알려진 무림십왕이지만, 그래도 나와 이렇게 차이가 날 줄이야…….'

홍염철검과 운룡신창은 시뻘겋게 얼굴을 물든 가운데 이를 악물었다. 그들과 무정검왕은 같은 배분의 노기인이라고 대우를 받고는 있지만 확실한 실력 차이가 났다.

지금 담우천의 퇴로를 차단하고 있는 멸절사태 또한 마찬가지였다. 무림십왕이 아닌 이들 중에서 무림십왕과 가장 대등한 실력을 지닌 고수들 중 한 명이 바로 그녀였으니까.

담우천도 이미 그 사실을 제대로 파악하고 있었다.

'빠져나갈 구멍을 찾아야 하는데…….'

그 구멍이 홍염철검과 운룡신창, 그리고 장백두라는 것 정도는 담우천도 잘 알고 있었다.

애초 담우천이 환섬신루의 보법을 이용하여 홍염철검과 운룡신창의 중간 지점까지 다가선 건 그들 중 한 명을 사로잡고 그의 목숨을 위협하여 이곳을 빠져나갈 심산이었기 때문이었다.

하지만 무정검왕은 그 속셈을 뻔히 눈치채고 있었던 게다. 그랬기에 지금껏 관여하지 않다가 바로 그 순간 검을 날려 담우천의 다음 동작을 제지했던 것이다.

담우천은 천천히 왼팔을 지혈하면서 장내를 훑어보았다. 후면은 멸절사태가 버티고 있었다.

만약 그녀를 무시하고 창밖으로 몸을 날리려면 팔 하나 잘리거나 다리 한쪽 부러지는 중상을 각오해야 했다.

또한 그런 중상을 입고 빠져나가 봤자 몇 걸음도 가지 못하고 무정검왕에게 뒤를 잡힐 게 분명했다.

정면으로 맞서 싸워서 이길 가능성은?

그것 역시 무정검왕과 멸절사태가 문제였다. 일대다의 싸움을 싫어한다고는 하지만, 홍염철검과 운룡신창이 위기에 처하게 되면 조금 전처럼 근엄한 목소리로 담우천을 비난하며 검을 날리고 선장을 휘두를 게 뻔했다.

'역시 먼저 머리부터 잡아야겠지.'

주변을 둘러보던 담우천의 시선이 무정검왕에게로 고정되었다. 무정검왕은 마치 담우천의 속내를 읽고 있다는 듯 희미하게 미소를 지으며 고개를 끄덕였다.

"그래. 그렇게 나와야지."

담우천은 가볍게 호흡을 가다듬으며 내공을 천천히 끌

어올렸다.

무정검왕부터 깨부수기 위해서는 일원검(一元劍)의 초식이 필요했다. 무적가의 제갈보국과 제갈원을 해치운, 하지만 철목가의 정극신은 어쩌지 못했던 그 일원검.

'그때와는 다른 일원검이다.'

문득 담우천의 뇌리에 일원검의 정심을 깨닫고 무위를 극한까지 끌어올리기 위해 노력했던 지난 몇 달간의 기억들이 주마등처럼 떠올랐다가 사라졌다.

담우천은 천천히 거궐을 들어 올렸다. 검날 끝에 담우천의 모든 내공이 하나로 집약되었다.

우웅!

거궐의 검극에 담우천의 내공이 한껏 응축되어 모이자, 거궐이 검명(劍鳴)을 토해 내기 시작했다.

주변 공기의 파장이 달라졌다. 잔잔하던 수면에 돌을 던져 생긴 파문처럼 거궐의 검극을 중심으로 공기의 파문이 퍼져 나가고 있었다.

일순 처음으로 무정검왕의 눈빛이 달라지고 표정이 바뀌었다.

6장.

선수침주(線随针走)

거궐의 검극이 점점 부풀어 오르는 것 같더니 이내 그의 시야를 가득 메웠다.
'일검장신(一劍藏身)? 아니다, 그런 어중간한 수법이 아니다.'
무정검왕은 더욱 집중했다.

선수침주(線隨针走)

1. 승부

머나먼 유주(幽州) 땅, 그곳의 끝자락에 위치해 있는 조그만 객잔.

그 객잔의 뚱뚱한 주인이 건넨 곡즉전(曲卽全)이라는 화두 한 조각.

사실 지난 수백 년 이래 곡즉전이라는 화두를 통해서 깨우침을 얻은 자가 없지 않았고, 그들은 곡즉전을 저마다 다른 의미로 해석하여 서로 다른 무공을 만들어 냈다.

그리고 담우천은 그 한 마디 화두를 통해 일원검을 창안했다.

곡(曲)은 구부러진 게 아니라 곧 원(圓)이었으며, 둥근

원은 다시 근본의 원(元)이 되었다.

원(元)은 만물의 시작이며 끝이었다. 원은 존재하는 모든 것이며 아무것도 없음을 의미했다. 원이야말로 존재하는 것이고, 또 세상에 없는 것이었다.

담우천은 거궐을 들었다. 거궐의 검극이 아주 조그맣고 미세한 원을 그리기 시작했다.

우우웅!

그 원 안으로 담우천의 내공이 흘러 들어가면서 검이 울었다. 검극이 원을 그리며 일으키는 파동이 주변의 공기를 타고 물결처럼 사방으로 넘쳐흘렀다.

장백두는 그 검명파문(劍鳴波紋)을 듣지도 알아차리지도 못했다. 홍염철검과 운룡신창은 거궐이 우는 검명은 들었으나 그 거궐이 만들어 내는 파문은 느끼지 못했다.

하지만 무정검왕은 거궐이 토해 내는 검명을 들었으며, 자신에게로 밀려드는 아주 미미하되 한없이 유장한 파문을 느꼈다.

그건 천하의 무정검왕조차 지금까지 단 한 번도 접해 보지 못한 느낌이며 감촉이었다. 그래서 그의 눈빛이 떨렸고 표정이 딱딱하게 굳어졌다.

정체를 알 수 없는 불안감이 뒷골을 타고 스멀스멀 기어 오르는 가운데, 새로운 것을 마주한다는 흥분과 기대감에 입술이 바짝 말랐다.

무정검왕은 호흡을 가다듬으며 검을 빼 들었다.

일순, 그 광경을 지켜보던 홍염철검과 운룡신창이 깜짝 놀란 표정을 지었다. 지금껏 활동하면서 무정검왕이 먼저 검을 빼 드는 모습은 처음 보는 광경이었다.

"조심하시오."

멸절사태도 그 검명파문을 눈치챈 것일까. 그녀는 선장을 쥔 손에 힘을 주는 동시에 무정검왕에게 당부를 건넸다.

무정검왕은 아무런 대꾸없이 오로지 담우천에게, 담우천의 검에게 모든 신경을 집중했다.

일촉즉발의 분위기가 장내를 휘감았다.

한순간, 담우천이 거궐을 들어 올려 무정검왕을 겨냥했다. 무정검왕의 눈이 가늘어졌다. 거궐의 검극이 점점 부풀어 오르는 것 같더니 이내 그의 시야를 가득 메웠다.

'일검장신(一劍藏身)? 아니다, 그런 어중간한 수법이 아니다.'

무정검왕은 더욱 집중했다.

일검장신은 절대 어중간한 수법이 아니었다.

신검합일(身劍合一)의 경지에 버금가는 초절정의 수법이 바로 일검장신이었지만, 지금 담우천이 보여 주는 기수식(起手式)은 일검장신이 보여 줄 수 없는 엄청난 파괴력과 가공할 살기를 뿜어내고 있었다.

또르르.

무정검왕의 이마를 타고 한 방울의 땀이 흘러내리는 순간, 갑자기 굉음이 터지며 이 층 한쪽 벽이 크게 허물어졌다.

동시에 네 개의 신형이 앞다퉈 이 층 대청으로 날아들었다. 그들은 바로 나찰염요와 장예추, 유노대와 화균악이었다.

* * *

왕대의 도움으로 대복객잔을 빠져나간 점소이와 숙수들은 곧 뿔뿔이 사방으로 흩어져 도주했다. 악양부 인근에 있는, 각자 인연이 있는 황계 지부로 달려가 이 상황에 대해 보고하려는 것이었다.

하지만 어린 점소이는 악양부 외곽으로 달려가지 않았다. 그는 대복객잔을 빠져나오자마자 미리 생각해 둔 바가 있다는 듯이 골목 안쪽 길을 따라 전력으로 질주했다.

숨이 턱까지 차오를 정도로 쉬지 않고 달린 끝에 점소이가 당도한 곳은 바로 조금 전, 왕대의 전서구를 받은 담우천이 곧장 허공을 날아 사라졌던 바로 그 안가였다.

점소이는 거친 숨과 함께 어깨를 들썩거리며 두 손으로 안가의 문을 두드렸다.

잠시 후 잠에서 덜 깬 표정의 중년 사내, 아니 중년 사내로 분장하고 있던 장예추가 문을 열었다. 점소이는 여전히 숨을 헐떡거리며 다급하게 말했다.

"큰일났습니다, 어르신."

장예추는 어린 점소이를 알아보았다. 순식간에 그의 얼굴에서 잠기가 사라졌다. 장예추는 차분하고 부드러운 목소리로 말했다.

"우선 안으로 들어오게. 그리고 한숨 돌리고 말하게."

점소이는 완강하게 거절했다.

"아닙니다. 지금 그럴 시간이 없습니다. 객잔에, 객잔에 지배인 어르신과 왕대 형님이 남아 계십니다. 그분들을 살려 주세요, 제발."

점소이는 눈물까지 흘리며 애원했다.

장예추는 그의 어깨를 다독이며 문안으로 들어서게 했다. 아직 새벽녘이지만 행여라도 다른 이들의 눈에 띌지도 모르는 일이었으니까.

점소이는 객청까지 가면서 계속해서 눈물을 흘리며 살려 달라고 애원했다. 장예추는 알겠으니까 우선 진정부터 하라고 말하며 겨우 그를 객청으로 데려갈 수 있었다.

문밖의 소란 때문이었을까. 객청에는 잠에서 깬 화군악과 나찰염요, 그리고 유 노대 모두 모여 있었다.

그들은 심각한 표정을 지은 채 객청 탁자에 놓여 있던

피 묻은 천을 들여다보았다. 유 노대가 장예추와 함께 들어서는 점소이를 보고는 빠른 어조로 물었다.

"객잔에 무슨 변고가 발생했느냐?"

점소이는 조금 가라앉았던 감정이 북받쳐 오른 듯 다시 크게 울면서 애원했다.

"간악한 노인네들이 어르신들의 행방을 알아내기 위해서 숭 지배인을 핍박하고 있습니다. 제발 살려 주십시오. 객잔에는 아직 왕대 형님도 남아 계십니다."

사람들은 서로를 돌아보았다. 저 말만으로도 지금 상황이 어떻게 돌아가고 있는지 대충 알 것 같았다.

장예추는 주위를 둘러보며 물었다.

"담 형님은?"

다들 잠에서 깨어나 모여 있는 이 자리에 담우천이 보이지 않은 까닭이었다.

화군악이 피 묻은 천을 내밀며 말했다.

"이걸 받고 홀로 객잔으로 가신 모양이야."

장예추는 그 천에 적힌 글을 읽고는 이내 얼굴이 딱딱하게 굳어졌다.

화군악이 초조한 목소리로 말했다.

"우리도 얼른 가야 할 것 같은데."

그러자 나찰염요가 의외로 여유 있는 표정을 지으며 말했다.

"서두를 것 없어요. 그이가 어련히 알아서 잘 처리할 테니까요. 그러니까 우리는 아침 식사를 한 후에 슬슬 출발해도 괜찮아요."

담우천에 대한 절대적인 믿음이 실린 말과 표정이었다. 화군악도 고개를 끄덕였다.

"하기야 다른 사람도 아닌 담 형님이 가셨으니까."

장예추도 굳었던 표정을 풀며 점소이에게 말했다.

"방금 이야기 들었지? 우리 중에 가장 강한 형님이 먼저 가신 모양이니까 너무 불안해하지 않아도 된다."

장예추는 그렇게 어린 점소이를 안심시키고 다독이려 했지만 소용이 없었다. 어린 점소이는 고개를 마구 내저으며 소리쳤다.

"아닙니다, 어르신들! 어르신들께서는 그 늙은이들이 얼마나 무시무시한 자들인지 직접 보지 못하셔서 그리 말씀하시는 겁니다! 제발 당장 달려가서 우리 지배인과 왕대 형님을 구해 주세요!"

장예추는 재차 안심시키려고 몇 마디를 건넸지만 역시 소용이 없었다.

그때 유 노대가 불쑥 입을 열었다.

"노인네들이라면 세 명이더냐?"

유 노대는 어젯밤 교룡회의 연무장에서 마주쳤던 운룡신창과 홍염철검, 구처자를 떠올리며 그렇게 점소이에게 질문을 던졌다.

점소이는 고개를 저으며 대답했다.

"아닙니다. 다섯 명의 노인과 한 명의 청년이었습니다. 노인들 중에는 늙은 비구니도 있었고요."

"늙은 비구니?"

순간 뭔가 떠오르는 바가 있다는 듯 유 노대의 눈빛이 반짝였다. 그는 서둘러 물었다.

"선장을 짚고 나이에 비해 허리가 꼿꼿하며 눈빛이 강렬하고 목소리가 카랑카랑한 여승이더냐?"

점소이는 잠시 기억을 더듬다가 고개를 끄덕였다.

"목소리는 듣지 못했지만 확실히 어르신께서 말씀하신 그 여승이 맞는 것 같습니다."

"이런."

유 노대의 눈빛이 가늘어졌다. 화군악이 궁금하다는 듯이 그에게 물었다.

"그 늙은 여승이 누군데요?"

"멸절사태일 가능성이 크구나."

"멸절사태?"

"멸절사태!"

전혀 다른 반응이 화군악과 나찰염요의 입에서 동시에 터져 나왔다. 유 노대는 굳은 표정을 지은 채 계속해서 말을 이어 나갔다.

"만약 그 늙은 여승이 멸절사태라면 어젯밤 그 세 늙은이와 함께 온 다른 또 한 명의 노인은 아무래도 무정검왕일 공산이 크다."

"무정검왕!"

"설마요?"

"이런……."

이번에는 거의 비슷한 느낌의 반응이 세 남녀의 입에서 동시에 흘러나왔다.

"그래. 바늘이 가면 실이 따라간다고……."

유 노대는 고개를 끄덕이며 말했다.

"꽤 오래전부터 멸절사태의 곁에는 무정검왕이 있었고, 무정검왕의 지근거리에는 멸절사태가 있었지. 그래서 지인들은 둘이 사귀는 게 아니냐고 그들을 놀리기도 했지."

과거의 추억을 떠올리면서 중얼거리던 유 노대는 문득 정신을 차린 듯 눈을 크게 뜨며 화제를 바꿨다.

"아니, 지금 그게 중요한 게 아니지. 만에 하나 멸절사태와 무정검왕이 홍염철검들과 함께 있다면 아무리 담장주라 하더라도 위험에 처할 수 있으니까."

나찰염에가 자리에서 벌떡 일어났다. 조금 전 한없이 여유가 넘치던 모습은 온데간데없이 사라진 채 다급하고 초조한 기색으로 사람들을 둘러보며 말했다.

"그럼 어서들 일어서요."

유 노대는 물론 화군악과 장예추가 자리에서 일어났다.

어린 점소이가 따라 일어서자, 장예추가 그의 어깨를 눌러 다시 자리에 앉히며 말했다.

"너는 이곳을 지키고 있어. 우리가 돌아올 때까지 말이야."

"그, 그래도……."

"참, 이름이 뭐였지?"

"오송(吳淞)이라고 합니다."

"그래. 고맙다, 오송. 네 덕분에 숭 지배인은 물론 내 의형도 큰 도움을 받게 되었으니까. 돌아오는 대로 크게 보상하마."

"아니, 보상은 괜찮아요. 일이 이렇게 된 건 제 탓이 크니까요. 그리고 왕 형님도 부탁드려요."

"그래, 알겠어."

장예추는 미소를 지으며 오송의 어깨를 다독이고는 품에서 손수건을 꺼내 얼굴을 가렸다. 다른 이들은 이미 얼굴을 가린 채 객청 입구에서 서성이고 있었다.

장예추는 오송을 안심시킨 후 동료들을 따라 곧장 객청을 빠져나와 대복객잔을 향해 경공술을 펼쳤다.

그들은 자신들이 몸을 숨기고 있던 안가에서 대복객잔까지 일직선으로 이어지는 지붕과 지붕을 넘나들며 빠른 속도로 허공을 갈랐다. 조금 전 담우천이 경공술을 펼쳐 달렸던 바로 그 허공의 길을 따라서.

바람 소리 세차게 허공을 가르는 나찰염요의 얼굴이 새파랗게 질려 있었다. 머리카락은 미친년의 그것처럼 산발이 되어 있었지만, 그녀는 아랑곳하지 않고 오로지 대복객잔을 향해 달리고 또 날았다.

이윽고 그들이 대복객잔의 맞은편 건물 지붕에 다다랐을 때, 객잔 이 층에서 어수선한 소리가 밖까지 들려왔다.

이 층을 바라보는 나찰염요의 눈이 커졌다. 창은 박살나 있었고 한쪽 벽이 뻥 뚫려 있었다.

그 뚫린 벽 안으로 담우천의 뒷모습이 언뜻 보였다. 여러 늙은이에게 포위된 채로.

그 모습을 본 순간, 나찰염요는 본능적으로 지붕 기와를 박차고 도약했다. 뒤따라 유 노대와 장예추, 화군악이 차례로 지붕을 걷어차고 맞은편 객잔 이 층으로 날아들었다.

2. 승패

쾅!

굉음과 함께 또다시 벽이 뚫리고 느닷없이 네 명의 사람이 날아들었지만, 그 느닷없이 벌어진 상황에도 담우천과 무정검왕의 집중력은 한 점 흐트러짐이 없었다.

담우천의 면면부절(綿綿不絕) 길게 이어지던 호흡이 한순간 끊어졌다.

무정검왕의 검이 살짝 움직였다.

미미하게 원을 그리며 흔들리던 담우천의 거궐이 멈췄다.

무정검왕이 한 발을 뒤로 빼며 자세를 낮췄다.

거궐의 검극에 한껏 응축되고 압축되었던 담우천의 내력이 일순간에 폭발하며 일직선으로 뻗어 나갔다. 새하얀 검강이 그대로 무정검왕의 가슴에 꽂혔다.

무정검왕은 모든 내력을 담은 일검을 휘둘러 검강을 비스듬히 쳐 냈다. 상대의 힘을 거스르지 않고 그저 방향만 트는 사기종인(舍己從人)의 고절한 수법.

이내 무정검왕의 얼굴이 일그러졌다.

그의 일검에도 불구하고 담우천이 발출한 검강은 거대한 물줄기처럼 전혀 방향을 바꾸지 않고 노도처럼 밀려들었다.

무정검왕은 순간적으로 갈등했다.

피하느냐, 재차 막느냐, 역습을 취하느냐.

갈등은 짧았고 행동은 그보다 빨랐다. 무정검왕은 한쪽

어깨를 내주는 대신, 재차 검을 뻗어 무정섬류(無情閃流)의 쾌검을 시전했다.

바로 그 순간 담우천의 검강이 무정검왕의 왼쪽 어깨를 강타했다. 어깨가 찢어발겨지는 충격과 고통 속에서도 무정검왕은 쾌검의 속도를 늦추지 않았다.

검이 짓쳐드는 사이로 공기가 반으로 갈라졌다. 반으로 갈라지는 공간 끝자락에 담우천의 목젓이 있었다. 그리고 미처 무정검왕의 쾌검에 반응하지 못한 채 부릅뜬 담우천의 눈빛이 시야에 가득 찼다.

'됐다.'

무정검왕의 눈빛이 가늘어졌다.

어깨 하나를 내주고 상대의 목숨을 취한다면 제법 짭짤한 성과라 할 수 있었다.

바로 그 순간이었다.

무정섬류가 일으킨 공기의 파동 때문일까, 아니면 담우천이 한없이 격렬하게 내공을 발출했기 때문일까. 바람이 일고 담우천의 입을 가렸던 손수건이 풀어지며 그의 얼굴이 고스란히 드러났다.

'응?'

그 얼굴은 본 순간, 무정검왕의 눈이 재차 커졌다.

낯이 익었다. 눈에 익은 얼굴이었다. 수십 년 전 자신을 따라다니며 재잘재잘 떠들기 좋아하던 꼬마 아이의 얼굴이 지금 저 중년 사내의 얼굴과 겹쳐졌다.

"우천이냐?"

무정검왕은 저도 모르게 그 꼬마 아이의 이름을 중얼거렸다. 순간적으로 집중력이 살짝 흩어졌다. 무정하게 쏘아지던 쾌검의 끝자락이 흔들렸다.

그 찰나의 틈을 이용하여 담우천이 힘겹게 어깨를 틀었다. 사 오십 년 동안 단 한 번도 목표물을 놓친 적이 없던 무정섬류의 쾌검이 애꿎은 허공을 쑤시는 순간이었다.

"안 돼!"

뒤늦게 멸절사태가 울부짖듯 외치는 목소리가 카랑카랑하게 들려왔다.

* * *

"아……."

홍열철검의 절로 벌어진 입에서 믿을 수 없다는 듯한 신음이 흘러나왔다. 지금 그의 눈앞에서 하나의 신화가 무너지고 불패(不敗)의 전설이 붕괴되고 있었다.

전력을 다한 싸움이었다. 누구의 개입도 방해도 받지 않고 오로지 자신의 힘과 기술과 무위만을 이용하여 정정당당하게 겨룬 일합(一合)이었다.

그것은 실로 눈이 호강하는 순간이었다. 무림인이라면

꿈에서라도 보고 싶어 할 만한 장관이었다.

담우천은 생전 듣도 보지도 못한 강력한 검강을 선보였으며, 그에 맞선 무정검왕은 천하에 그보다 빠를 수 없는 최고의 쾌검을 선보였다.

그리고 그 화려하고 아름다우며 웅장했던 승부는 불과 일 촌(寸), 일수유(一須臾)의 차이로 갈라졌다.

담우천의 검강에 어깨를 격중당하면서도 무정검왕은 필살의 기세로 쾌검을 뿌렸다.

하지만 그 쾌검이 담우천의 목젖을 관통하려는 찰나, 아쉽게도 무정검왕의 기세는 게서 꺾이고 말았다.

무정검왕의 기세가 손가락 마디 하나 정도만 더 버텨 주었더라면, 그의 쾌검이 일수유만큼이라도 빨리 움직였더라면 아마도 지금 서 있는 자와 무릎을 꿇은 자의 위치는 정반대가 되었을 것이다.

"아아!"

뒤늦게 운룡신창의 입에서 탄식이 터졌다.

가공할 기세로 담우천의 목젖을 찔러 가던 무정검왕이 한순간 주르륵, 미끄러지듯이 그 자리에 주저앉는 모습을 보면서 그는 도저히 믿을 수 없다는 듯이 고함을 내질렀다.

"암기더냐, 독이더냐!"

정정당당하게 싸운다면 결코 무정검왕이 질 리가 없다

는 듯, 운룡신창은 목놓아 부르짖으며 담우천을 향해 마구 쌍장을 휘둘렀다.

그의 두 손에서 강맹무비한 장력이 쉴 새 없이 뿜어지며 담우천을 향해 폭사했다.

담우천은 자신의 앞에 무릎을 꿇은 무정검왕을 내려다보고 있었다. 목석처럼 우두커니 서서 그는 믿을 수 없다는 듯한 시선으로, 애정과 증오가 뒤섞인 눈빛으로 무정검왕을 내려다보았다.

그래서였다.

평소라면 능히 피하거나 충분히 막을 수 있는 운룡신창의 장력이었음에도 불구하고, 그는 전혀 움직이지 않았다.

"안 돼!"

"피하세요!"

뒤늦게 객잔 이 층 벽을 박살 내며 뛰어든 이들이 놀라 부르짖었다. 당연히 담우천이 피하거나 막을 거라고 생각하고 있던 참이었기에 그들의 놀람과 당황함은 더욱 컸다.

하지만 담우천은 피하지 못했다. 아니, 피하지 않았다.

콰앙!

격렬한 굉음이 터졌다.

운룡신창의 질풍노도와 같은 장력은 마침 넋을 놓은 채 무정검왕을 내려다보고 있던 담우천의 전신을 강타했다. 그 충격을 이기지 못한 담우천의 신형이 허공으로 날았다.

"어어?"

담우천을 해치운 운룡신창조차 어안이 벙벙한 표정을 지으며 그 광경을 지켜보았다.

자신의 손으로 저 악적(惡賊)을, 비겁한 술수로 무정검왕을 쓰러뜨린 흉적(凶賊)을 해치울 거라고는 그 또한 꿈에도 생각하지 않았던 까닭이었다.

바로 그 순간, 세 개의 신형이 동시에 허공을 날아 담우천을 부둥켜안고 착지했다.

한 명의 여인이 그를 꼭 껴안자, 다른 두 명의 사내가 황급히 비켜서며 그들을 보호하듯 살기등등한 눈빛으로 주위를 쏘아보았다.

상황은 순식간에 달라져 있었다. 어느새 무정검왕은 멸절사태의 품에 안겨 있었다.

담우천이 허공으로 날아가고 새로 등장한 자들이 그를 잡으려고 도약했을 때, 멸절사태는 곧장 무정검왕에게 몸을 날려 그를 안고는 다시 훌쩍 뒤로 물러났던 것이다.

3. 청산이 있는 한

"정신 차리시오, 목 형!"

홍염철검은 멸절사태의 품 안에서 축 늘어진 무정검왕

을 향해 다급하게 소리쳤다.

반면 멸절사태는 냉엄한 눈빛으로 무정검왕의 상세를 확인하면서 재빨리 지혈을 한 다음, 품에서 상비약을 꺼내 응급 처치를 하였다.

무정검왕의 왼팔은 어깨에서 팔뚝까지, 뼈가 훤히 드러날 정도의 엄중한 상황에 처해 있었다. 붉은 살점은 너덜너덜하게 찢어져 있었으며, 근육과 힘줄은 모두 박살 나거나 끊어져 있었다.

멸절사태는 검은 환단 한 알을 무정검왕의 입에 넣어주며 이를 악물었다. 냉정하게 무정검왕의 상태를 확인하는 그녀의 눈에서 불똥이 튀었다.

"괜찮겠소이까?"

홍염철검이 초조한 얼굴로 묻자 그녀는 고개를 저으며 나직하게 대꾸했다.

"모르겠습니다."

"허어."

홍염철검은 탄식하며 담우천 쪽으로 고개를 돌렸다.

마침 담우천도 나찰염요의 품에 안긴 채 응급 처치를 받는 중이었다. 그녀는 신속한 추궁과혈(推宮過穴)을 통해 울혈(鬱血)을 토하게 한 다음, 상비하고 있던 환단을 담우천에게 먹이고 있었다.

그것은 참으로 묘한 광경이었다.

마치 서로 짜기라도 한 듯 천하에서 가장 강한 두 남자가 각자 여인의 품에 안긴 채 치료를 받고 있었다.

그리고 그들의 동료들은 부상자의 안위를 걱정하는 한편, 상대의 기습을 방비하여 여인의 앞을 가로막고 있었다.

그때였다.

뒤늦게 자신이 얼마나 대단한 일을 해냈는지 깨닫게 된 운룡신창이 껄껄 웃으며 한 걸음 앞으로 걸어 나갔다.

"봤느냐? 네깟 놈들이 아무리 설쳐 봤자 결국에는 그렇게 나가떨어질 뿐이다. 그러니 지금이라도 늦지 않았다. 무릎을 꿇고 빌면 내 넓은 아량으로 살려는 주마."

'이런…… 단단히 착각하고 있군그래.'

홍염철검이 혀를 차며 그를 만류하려 할 때였다.

호위하듯 나찰염요와 담우천의 앞을 가로막고 서 있던 화군악과 장예추가 마치 약속이라도 한 듯 동시에 운룡신창을 공격했다.

화군악의 두 손이 허공에서 원을 그리며 조그만 원구(圓球)를 만들어 내더니, 이내 운룡신창을 향해 그 투명한 원구를 쏘아냈다.

투명해서 전혀 눈에 들어오지 않는 원구는 공기의 파랑(波浪)을 일으키며 운룡신창의 심장을 향해 날아들었다.

'헛!'

뒤늦게 그 공기의 파랑이 심상치 않음을 알아 차림 운

룡신창은 헛바람을 집어삼키면서 화들짝 놀라 몸을 피했다. 아슬아슬하게 원구가 지나쳐 간 그의 소매에 둥근 구멍이 났다.

운룡신창은 믿을 수 없다는 듯 두 눈을 크게 뜨며 부르짖었다.

"태극문해!"

그는 화군악을 노려보며 소리쳤다.

"네놈, 그때 그놈이었더냐? 무적공자라던 놈? 이름이……."

하지만 그는 말을 잇지 못했다.

"윽!"

보이지 않는 사각에서 불쑥 짓쳐드는 한 자루의 칼이 있었던 까닭이었다. 그리고 그 칼이 자신의 머리를 단숨에 베고 있었기 때문이었다.

그야말로 피할 수도 막을 수 없는 절명(絕命)의 순간!

챙!

칼이 방향을 틀며 운룡신창의 비녀를 그었다. 비녀와 머리카락이 두부처럼 싹둑 잘려 나갔고, 묶어 올린 머리가 이내 산발이 되었다.

운룡신창은 우당탕 소리를 내며 황급히 뒤로 몇 걸음 물러나 위기에서 벗어난 다음, 고개를 돌려 자신을 도와준 이를 확인했다.

그 자리에는 홍염철검이 검결지(劍訣指)를 취한 채 화

군악과 장예추를 노려보고 있었다.

"고맙소."

운룡신창이 감사의 뜻을 표했지만 홍염철검은 대답하지 않았다. 아니, 대답할 수가 없는 상황이었다.

'칼을 쳐 내는 것만으로도 내상과 버금가는 통증을 느끼다니……. 도대체 이 녀석들의 정체는 뭐란 말인가?'

홍염철검은 억지로 고통을 참으면서 내심 그렇게 중얼거렸다.

바로 직전 홍염철검은 운룡신창이 위기에 처한 걸 보고는 순간적으로 지풍(指風)을 날려 그를 구했다.

하지만 홍염철검의 지풍이 상대의 칼과 부딪치면서 엄청난 반탄력에 하마터면 큰 내상을 입을 뻔했던 것이다.

저 무정검왕을 쓰러뜨린 자도 믿을 수 없이 강했지만, 이 두 명의 사내 또한 실로 만만치 않을 정도로 강한 무위를 지니고 있었다.

운룡신창은 홍염철검이 아무런 대꾸 없이 오로지 화군악과 장예추만을 노려보고 있자, 가볍게 코웃음을 치고는 재차 화군악에게로 시선을 돌리며 입을 열었다.

"오랜만이다, 무적공자."

어느새 나찰염요의 앞으로 돌아온 화군악은 무심한 눈길로 운룡신창을 바라보고 있었다. 그러나 그 무심한 눈빛과는 달리 내심 꽤 놀라고 있었다.

'젠장. 저 늙은이가 그때 그곳에 있던 늙은이들 중 한 명일 줄이야…….'

미처 몰랐다.

까마득하게 잊고 있었던 일이었다.

아니, 그 당시 태극문해를 사용해서 누군가를 죽였다는 사실조차 잊고 있었다. 그 사실을 잊지 않았더라면 화군악은 결코 태극문해를 사용하지 않았을 것이다.

하지만 운룡신창은 잊지 않았다.

지저갱주로 발령받자마자 터진 치욕의 지저갱 탈옥 사건. 그 탈옥수를 쫓는 와중에 벌어진 처참한 죽음들, 그 죽음 위에 내려앉아 있던 태극문해라는 표식.

그 잔악한 살인자, 무적공자 화군악이라는 놈을 쫓느라 허비했던 수년이라는 세월.

그런데 운룡신창이 어찌 그걸 잊을 수 있겠는가.

운룡신창은 이를 갈며 말했다.

"수년 전 지저갱에서 빙혼마고와 야래향 같은 희대의 마두를 탈출시킨 놈. 익양지부주였던 진흠을 죽이고 광천노군(光天老君)까지 암습하여 살해한 잔인무도하고 비열하기 짝이 없던 애송이. 그래, 네놈을 만나기만을 학수고대했다, 무적공자 화군악."

"무적공자 화군악? 그게 누구?"

화군악은 어깨를 으쓱거리며 말했다.

"뭔가 단단히 착각하고 있는 모양인데, 뭐 상관없어. 어차피 네놈들은 이곳에서 빠져나갈 수 없으니까."

화군악은 그렇게 말하며 천천히 검을 빼 들었다.

그때였다. 나찰염요가 그의 뒤에서 나지막하게 소곤거렸다.

"지금은 싸울 때가 아니에요."

화군악이 저도 모르게 움찔거렸다. 그의 등 뒤에서 나찰염요의 나지막한 목소리가 계속해서 들려왔다.

"생각보다 상세가 위중해요. 얼른 이곳을 빠져나가 제대로 된 치료를 해야 할 것 같아요."

화군악은 빠르게 머리를 굴렸다.

'저 늙은이를 죽이는 건 언제든지 할 수 있다. 형수님 말씀대로 담 형님의 안위가 우선이다. 틈을 엿보다가 형수와 담 형님부터 빠져나가도록 해야겠다.'

화군악은 운룡신창들을 노려보며 그렇게 마음의 결정을 내렸다.

그때, 기묘하게도 운룡신창과 홍염철검 역시 비슷한 상황에 처해 있었다.

그들은 화군악들에게서 시선을 떼지 않은 채 등 뒤에서 들려오는 멸절사태의 낮은 목소리를 듣고 있었다.

"아무래도 빈승은 이만 자리를 떠야 할 것 같군요. 한시라도 빨리 목 대협을 치료해야 할 것 같습니다."

운룡신창과 홍염철검의 얼굴이 살짝 일그러졌다.

무정검왕이 쓰러진 가운데 멸절사태까지 빠지게 된다면 그야말로 전력에 큰 타격을 입게 된다.

아직 저쪽은 네 명이 남아 있는 반면, 이쪽은 형문파의 애송이까지 합쳐도 겨우 셋뿐이었다. 그것도 철검과 장창이 없는 상태로 저 막강한 무위를 지닌 적들과 싸워야 하는 것이다.

물론 홍염철검 정도의 내공과 무위라면 적수공권(赤手空拳)으로도 가공할 만한 위력을 발휘할 수가 있다. 또 상당한 수준의 권각술도 능히 펼칠 수 있었다.

조금 전 운룡신창이 장력을 발출하여 담우천을 쓰러뜨린 것만 봐도 충분히 알 수 있는 일이었다.

하지만 또 그들의 주무기가 주먹질이나 발길질이 아닌 것도 사실이었다.

그들이 펼치는 장력이나 권각술의 위력이 십(十)이라면, 그들이 애병(愛兵)을 사용하여 펼치는 무공의 위력은 삼십(三十), 아니 오십(五十)이라 해도 무방했다.

즉, 철검이 없는 홍염철검과 장창이 없는 운룡신창의 지금 무위는 평소의 삼분지 일 정도밖에 되지 않았다.

그런 상태에서 든든하기 그지없던 멸절사태가 싸우지 않고 물러나겠다는 게다. 당연히 속이 탈 수밖에 없었다.

운룡신창이 뒤를 돌아보며 힐책하듯 말했다.

"그래도 목 형은 아직 살아 있지 않소? 하지만 구처자는 이미 죽었단 말이오. 사태께서는 그의 복수를 외면할 생각이시오?"

"지금 당장 복수해야만 복수가 아니지 않습니까?"

멸절사태는 냉랭한 어조로 말했다.

"옛부터 청산(靑山)이 있는 한 땔감 걱정은 할 필요가 없다는 명언이 있다오. 그러니 너무 나무라지 마시오. 오늘이 아니더라도 반드시 저자들에게 복수할 것이니까. 구처자의 죽음에 대한, 그리고 목 가(哥)…… 목 대협을 이렇게 만든 것에 대한 복수를 말이지요."

멸절사태는 목 가가(哥哥)라고 말하려다가 얼른 목 대협이라고 말을 바꾸었다.

운룡신창은 그런 사실을 알지 못한 채 살짝 눈살을 찌푸리며 홍염철검을 돌아보았다. 홍염철검의 의견을 구하는 눈빛이었다.

홍염철검은 속으로 한숨을 쉬며 중얼거렸다.

'그리고 보니 저 두 사람을 두고 선수침주(線隨針走) 운운하며 놀린 적도 있었지.'

선수침주란 '바늘 가는 데 실이 따라온다'라는 말로, 정사대전 이후로 무정검왕과 멸절사태가 늘 붙어다니는 걸 보고 지인들이 농 삼아 그렇게 말하고는 했었다.

그런데 방금 보여 준 멸절사태의 말이나 행동, 눈빛과

표정을 보건대 그들 두 사람의 관계가 평범한 동료 이상이었던 게 확실해 보였다.

그렇다면 지금 멸절사태의 신경은 온통 무정검왕의 안위에 쏠려 있을 터, 당연히 저 간악한 작자들과의 싸움은 무리일 수밖에 없었다.

'어쩔 수 없지. 그녀 말대로 청산이 있는 한 땔감 걱정은 할 필요가 없으니까.'

홍염철검은 그렇게 결정을 내린 후 운룡신창을 향해 고개를 끄덕였다.

일순 운룡신창의 얼굴이 일그러졌다. 그는 홍염철검의 의중에 반대한다는 듯이 눈을 부릅뜨며 뭔가 한마디 하려다가 결국 포기하고는 고개를 설레설레 저으며 뒤로 한 걸음 물러났다.

홍염철검은 정면으로 시선을 돌렸다.

비록 손수건으로 얼굴을 가리고 있었지만, 저들 또한 동료의 중상에 당황하고 초조한 기색이 역력했다.

홍염철검은 운룡신창이 무적공자 화군악이라 지목한 중년 사내를 바라보며 입을 열었다.

"양쪽 모두 중상자가 있으니 오늘은 이 정도에서 끝내는 게 나을 것 같다."

화군악은 짐짓 태연한 기색으로 말을 받았다.

"꼬리를 말고 도망치려는 것이오?"

“이 애송이가!”

운룡신창이 발끈하여 소리쳤다.

“무적공자 화군악! 네 녀석은 내 반드시 죽여 주마! 어디로 도망치든 어디에 숨든, 설령 그곳이 지옥이라 하더라도 끝까지 쫓아가 네놈을 죽이고 네놈의 시신으로 젓을 담가 먹을 것이야!”

화군악은 어깨를 으쓱거리며 말했다.

“그것참 악취미로군그래. 좋아, 소금 준비하고 기다리고 있겠소. 과연 누가 누구를 죽여서 젓갈을 담는지 두고 봅시다. 뭐, 두고 보지 않아도 확실히 알 수 있지만 말이오.”

“이, 이 자식이!”

운룡신창은 대노하여 당장이라도 주먹을 휘두를 기세였다. 하지만 멸절사태의 다급한 어조가 그의 흥분을 가라앉혔다.

“목 대협의 호흡이 작아지고 있습니다.”

홍염철검이 손을 뻗어 운룡신창을 제지한 후 화군악과 그 일행을 한 명씩 돌아보며 입을 열었다.

“그럼 다시 만나기를 기대하겠네.”

화군악은 태연하게 대답했다.

“멀리 안 나가겠소. 살펴 가시오.”

7장.

척마삼선(斥魔三線)

"당시 오대가문은 정파의 고수들보다 뛰어난 실력을 지닌
사마외도의 고수들을 상대로 절대 정공법으로는 이길 수 없다고 판단했고,
그래서 그들의 비밀이나 약점, 은신처 등을 알아내어
기습을 감행하는 계획을 세웠지."

척마삼선(斥魔三線)

1. 갑작스러운 입맞춤

홍염철검이 손을 내밀었지만 멸절사태는 냉정하게 거부했다. 그리고 직접 무정검왕을 안은 채 자리에서 일어나더니 문득 유 노대를 돌아보며 입을 열었다.

"무슨 연유로 그 자리에 그 괴인들과 함께하고 있는지는 모르겠지만 오늘의 이 빚, 훗날 반드시 찾아가 단단히 따져 물을 것이오. 내 성정을 잘 알고 계실 터, 잊지 말고 기다리시오, 부도옹(不倒翁)."

유 노대는 저도 모르게 움찔거렸다.

손수건으로 얼굴을 반이나 가리고 있어서 자신을 알아보지 못할 거라고 생각했었지만, 역시 멸절사태의 안목은 한없이 날카롭고 예리했다.

벌써 십여 년 가까이 만난 적이 없었지만 단번에 유 노대가 누구인지 알아차린 것이다.

"부도옹?"

홍염철검이 놀라 되물었다.

"설마 저 조그만 늙은이가 곤륜노군 부도옹이란 말이오?"

멸절사태는 아무런 대꾸 없이 무정검왕을 안아 든 채 뻥 뚫린 벽을 통과해 대복객잔 이 층 대청을 벗어났다.

"허어. 이게 무슨 일이고."

홍염철검은 가볍게 한숨을 내쉰 후 유 노대를 바라보며 입을 열었다.

"귀하가 진짜 곤륜노군이시오?"

유 노대는 실실 웃으며 말했다.

"키 작고 왜소한 늙은이라고 곤륜노군이라 생각한다면 세상에 곤륜노군만 십만 명은 되겠구려."

"으음."

홍염철검은 가볍게 눈살을 찌푸린 채 유 노대를 가만히 바라보았다.

하지만 정사대전 당시 불과 한두 번 만난 적이 있는 유 노대를 알아보기에는 너무나 오랜 세월이 흘렀다.

게다가 지금의 유 노대의 주름투성이 얼굴을 보고 곤륜

노군을 떠올릴 정도로 그와 친하게 지낸 것도 아니었다.

"흐음."

홍염철검은 다시 한숨을 내쉰 후 고개를 끄덕이며 입을 열었다.

"하기야 천하의 곤륜노군 정도 되는 사람이 겁쟁이 양상군자(梁上君子)처럼 제 신분을 숨기고 정체를 감출 리는 없을 테니까."

양상군자는 도둑을 가리키는 말이었다. 즉, 지금 홍염철검은 유 노대의 처지를 도둑에 빗대어 비아냥거리고 있는 것이었다.

유 노대는 태연한 표정으로 홍염철검을 바라보았다. 홍염철검은 은근한 눈빛으로 유 노대의 표정을 살피다가 고개를 설레설레 흔들며 말했다.

"어쨌든 오늘의 빚은 언제고 반드시 갚겠소."

그렇게 말을 맺은 홍염철검은 곧바로 자리를 떴다. 그러자 이번에는 운룡신창이 살기 어린 시선으로 화군악을 노려보며 말했다.

"네놈도 목 닦고 기다리도록."

화군악이 피식 웃으며 말했다.

"잔말 말고 얼른 꺼지시오."

운룡신창은 독살스러운 눈빛으로 화군악을 노려본 다음 "흥!" 하고 크게 코웃음을 친 후 대청을 박차고 밖으로 빠져나갔다.

마지막까지 남아 있던 장백두는 화군악들을 일일이 둘러보더니 포권지례를 취하며 입을 열었다.

"사실 냉정하게 돌이켜 보면 귀하들과 이렇게 척을 질 이유가 없다고 생각하오. 금룡회의 일이야 귀하들과 금룡회 간의 문제일 뿐, 우리 형문파가 참견할 하등의 이유도 없소. 그러니 지난 일은 모두 잊고 앞으로 서로 좋은 연을 맺어 상부상조하는 관계가 되기를 희망하오."

화군악은 어이가 없었다.

화군악들의 무력이 태극천맹의 노기인들에 비해 절대 밀리지 않는다는 걸 확인하자마자 그는 지금까지의 적대적인 태도를 바꿔 친교를 논하고 있었다.

저 장백두라는 자는 생각보다 훨씬 영악하고 실리에 밝으며 기회주의적인 습성을 지닌 것이다.

화군악은 따끔하게 한마디 해 주려다가 입을 꾹 다물고 팔짱을 낀 채 무시하듯 그를 바라보았다.

장백두는 자신의 말에 아무도 대꾸를 하지 않는 걸 보고는 겸연쩍음을 지우려는 것처럼 활짝 웃으며 말했다.

"하하하! 그럼 다음에 뵐 때까지 모두 보중하시기를 바라오."

곧이어 장백두는 대청을 박차고 대청을 빠져나갔다.

"잘했네."

유 노대가 화군악의 어깨를 두드리며 말했다.

"괜히 말 섞어 봤자 기분만 나빠지고 시간만 헛되이 보내게 될 테니까."

유 노대의 말에 화군악은 어깨를 으쓱거리고는 나찰염요를 돌아보며 서둘러 말했다.

"그럼 우리도 얼른 이곳을 떠나죠, 형수."

나찰염요가 고개를 끄덕이자 장예추가 두 손을 내밀며 말했다.

"담 형님은 제가 맡겠습니다."

나찰염요는 아직 불안하고 초조하고 안타까운 기색이 가시지 않은 얼굴이었지만 차분하고 담담하게 말했다.

"부탁드려요."

장예추는 곧장 담우천을 안아 들며 그의 상태를 확인했다. 핏기 사라진 얼굴, 추궁과혈을 받으며 토해 낸 울혈로 얼룩진 입가, 지금 당장 끊어져도 하나 이상할 것 없을 정도로 희미한 맥박.

역시 운룡신창의 일격에 엄중한 내상을 입은 게 확실했다.

그때 벽의 뚫린 구멍을 통해 밖으로 나가 주변을 살피던 화군악이 말했다.

"숨어 있는 기척은 없는 것 같아."

장예추가 고개를 끄덕이고 밖으로 나갔다.

나찰염요와 유 노대가 그를 호위하듯 양옆으로 나란히 서서 경공술을 발휘했다.

어느새 환하게 밝은 이른 아침의 지붕 위를 날아가는 그들의 얼굴은 딱딱하고 무겁게 가라앉아 있었다.

* * *

초조한 표정으로 기다리고 있던 오송이 득달같이 달려와 문을 열었다.

사람들은 빠른 걸음으로 안가로 들어섰다. 화군악은 주위를 둘러보며 재차 인기척을 확인한 후 문을 굳게 걸어 잠갔다.

"어떻게 되었……."

오송은 대복객잔 사람들의 근황을 묻다가, 장예추의 품에 안긴 채 죽은 듯 눈을 감고 있는 담우천을 보고는 침을 꿀꺽 삼키며 입을 다물었다.

지금 숭천웅이나 왕대의 안위를 물을 때가 아니라는 걸 직감한 까닭이었다.

사람들은 서둘러 객청 안으로 들어섰다. 담우천과 나찰염요의 거처까지 가는 동안 그들은 단 한 마디도 하지 않았다.

장예추는 조심스레 침상에 담우천을 눕힌 후 서둘러 자

신의 혁낭(革囊)을 풀었다. 화군악도 품에서 금낭을 찾아 그 안의 물건을 꺼냈다.

"이걸 먹이세요, 형수."

"이걸 복용시키십시오, 형수님."

화군악과 장예추는 약속이라도 한 듯 거의 동시에 환단 한 알씩을 꺼내 들고는 나찰염요에게 내밀며 말했다.

나찰염요의 눈이 커졌다.

"이건……."

놀랍게도 화군악과 장예추가 꺼낸 환단은 무당파의 보물인 자소단(紫霄丹)과 소림사의 보물인 대환단(大還丹)이었던 것이다.

"아니, 이걸 어떻게……."

화군악과 장예추가 서로를 돌아보며 쓴웃음을 흘리는 가운데 나찰염요가 두 사람을 번갈아 바라보며 물었다.

먼저 화군악이 대답했다.

"아, 마누라가 혼수 대신 가져온 것 중 하나예요. 다른 사람 절대 주지 말라고 신신당부했는데…… 어찌 담 형님이 다른 사람이겠어요? 내 형제, 내 가족이잖아요."

장예추도 쑥스러운 표정을 지으며 말했다.

"오래전 선사(先師)께서 살아 계실 때 주신 겁니다. 그 중 몇 알은 제가 복용했고 이게 마지막 남은 한 알입니다."

"이 귀한 것들을……."

"담 형님의 안위보다 귀한 게 어디 있습니까? 얼른 먹여 주세요."

"화 도련님도 손바닥이 찢어졌잖아요? 그 부상부터……."

"아뇨. 저는 괜찮아요. 이 정도 상처는 침만 발라도 나아요. 진짜라니까요. 그러니까 제 걱정은 하지 마시고 얼른 가서 형님께 드리세요."

화군악이 그렇게까지 말하며 재차 채근하자 나찰염요는 더 이상 거절할 수가 없었다. 그녀는 입술을 잘강잘강 씹다가 자리에서 일어나 두 사람에게 허리를 숙이며 말했다.

"이 은혜 잊지 않겠어요, 도련님들."

화군악과 장예추도 황급히 허리를 숙였다. 이어 화군악은 짐짓 화가 난 표정으로 농을 건넸다.

"자꾸 그렇게 내외하시면 속상합니다."

장예추는 진지한 얼굴로 말했다.

"자소단과 대환단을 함께 복용한다면 기사회생까지는 아니더라도 어지간한 내상은 충분히 치유할 수 있을 겁니다. 얼른 담 형님께 먹이세요. 추궁과혈은 제가……."

"아니, 추궁과혈은 내게 맡기게."

유 노대가 끼어들며 말했다.

"만해 녀석과 지내면서 몇 가지 배운 게 있는데 그중

하나가 추궁과혈이거든."

"그럼 유 사부께 맡기겠습니다. 잘 부탁드립니다."

나찰염요는 고개를 숙이며 말한 후, 곧장 자소단과 대환단을 잘게 부숴 입에 넣었다. 그러고는 침상에 누워 있는 담우천을 약간 들어 일으키고 고개를 뒤로 젖혔다.

그녀는 가늘고 긴 손가락을 들어 담우천의 입을 벌린 다음 자신의 붉은 혀를 내밀어 그의 입안으로 밀어 넣었다. 타액에 젖어 녹은 자소단과 대환단이 담우천의 입속으로 흘러 들어갔다.

화군악과 장예추, 유 노대는 그 갑작스러운 입맞춤에 당황하여 황급히 몸을 돌렸다.

그러는 동안에도 나찰염요는 한 점 부끄러운 기색 없이 자신의 입속에 남아 있던 환단의 잔존물들을 타액과 함께 담우천의 입안으로 흘려보내는 데 집중하였다.

2. 영약(靈藥)

무림인에게 있어서 목숨보다 소중하고 귀하며 그 어떤 것보다 탐을 내는 것이 세 가지가 있었으니, 바로 절세무공(絕世武功)이 그중 하나이며 신병이기가 그중 둘이며 마지막으로 높은 내공(內功)이 그중 셋이 되었다.

그리고 영약(靈藥)은 그 내공을 증진시키는 효력을 지니고 있었다. 이른바 공청석유(空淸石乳)이나 만년설삼(萬年雪蔘) 같은 것들이 바로 그 대표적인 영약이라 할 수 있었다.

하지만 공청석유나 만년설삼 같은 영약들은 절대 쉽게 구할 수 있는 물건이 아니었다. 그야말로 천운이 닿고 기연이 닿은 자만이 얻을 수 있는 희대의 보물이 바로 그러한 영약들이었다.

그래서 강호 무림인들은 아예 스스로 그 영약을 대신할 만한 환단을 만들기 시작했다.

각 문파에서는 저마다 약당(藥堂)을 마련하여, 자신들만의 방법으로 더 빠르고 보다 많은 내공을 얻을 수 있는 환단을 제조하였다.

그 환단에 들어가는 재료는 무궁무진했으며, 심지어 기상천외하기까지 했다. 일반적인 약재나 몸에 좋다고 알려진 동물, 식물, 곤충은 물론 심지어 광석이나 독물(毒物)까지 환단의 재료가 되었다.

물론 도가(道家)의 연단술로 만든 차(姹), 즉 수은(水銀)도 환단의 중요한 재료 중 하나였다. 그래서 환단을 먹고 수은에 중독되어 죽는 경우도 허다하게 발생했다.

어쨌든 그렇게 수많은 환단이 저마다의 제조 방식으로 만들어지게 되면서 강호에는 우스갯소리로 '천하에는 무공보다 환단의 수가 더 많다'라는 말이 떠돌 정도가 되었다.

강호의 호사가들은 그렇게 수많은 환단 중에서 독보적인 효력과 효과를 지닌 환단 열 종류를 가리켜 무림십대환단(武林十大還丹)이라고 명명(命名)했으니, 소림사의 대환단과 무당파의 자소단이 바로 그 무림십대환단 중 둘이었다.

대환단과 자소단은 사람이 만든 영약 중에서 다섯 손가락 안에 꼽히는 영약이었다.

가루로 만들어 상처 부위에 바르면 씻은 듯이 낫고 내상 또한 말끔하게 치유되는 데다가, 환단을 복용하고 고유한 심법을 운용하면 무려 반 갑자 가까운 내공을 얻는다고 알려져 있었다.

설령 고유한 심법을 모르는 상황에서 복용한다고 하더라도 무림인의 경우에는 이십 년의 내공을 얻고, 일반인의 경우에는 지병이 사라지고 건강을 유지시켜 장수할 수 있도록 만들어 준다고 했다.

그야말로 만병통치에 가까운 희대의 영약이 바로 소림사의 대환단, 그리고 무당파의 자소단인 셈이었다.

* * *

유 노대가 추궁과혈을 하고 나찰염요가 곁에서 그 광경

을 지켜보는 동안 화군악과 장예추는 방을 나서 객청으로 걸음을 옮겼다.

객청에는 초조함을 감추지 못한 채 이리저리 서성이는 오송이 있었다.

그는 두 사람을 보자 황급히 다가왔다. 그의 얼굴에는 대복객잔 사람들의 안위가 궁금해 죽겠다는 표정이 역력했다.

화군악이 웃으며 말했다.

"걱정하지 않아도 돼. 다들 무사히 도망쳤으니까."

"아, 천만다행이네요."

오송이 울상을 지으며 안도의 한숨을 내쉬었다.

사실 숭천웅이 침묵을 지키다가 무정검왕의 검에 의해 팔 하나가 잘렸으니 '무사히' 도망쳤다는 말은 어폐가 있다고 할 수 있었다.

하지만 화군악과 장예추는 그런 사실을 전혀 알지 못했고, 그래서 한 점 거짓 없는 미소로 오송을 안심시킬 수 있었다.

오송은 눈물까지 글썽이면서 기뻐하다가 문득 두 사람의 안색을 살피며 입을 열었다.

"그럼 저도 이만 가 봐야 할 것 같습니다. 왕 형님께서 인근 지부를 찾아가 보고하라고 하셨거든요."

"그래. 정말 고생 많았어. 고마웠고."

장예추는 품에서 은원보 하나를 꺼내 건네며 말했다. 오송이 받을 수 없다고 손사래를 쳤지만 장예추는 억지로 그의 손에 건네주며 말을 이었다.

"네가 빠르게 달려와 이야기해 준 덕분에 담 형님을 구할 수 있었지. 그 은혜를 겨우 이깟 은원보 하나로 갚을 수는 없겠지만 그래도 우리의 성의라고 생각하고 받아주렴."

오송은 어쩔 수 없이 은원보를 받은 다음 두 사람을 향해 허리를 숙였다.

"그럼 다른 분들께는 못 뵙고 간다고 전해 주세요."

"그래. 그리 전하지."

화군악은 다정하게 웃었다.

오송이 떠난 후 두 사람은 객청 탁자에 앉아서 방금 끓인 차를 마셨다.

화군악이 찻잔을 내려놓으며 투덜거렸다.

"차보다는 술이 어울릴 것 같은데."

"새벽부터 무슨 술이야?"

장예추는 눈살을 찌푸리며 말하다가 문득 한숨을 쉬며 고개를 설레설레 흔들었다.

"그래. 확실히 술이 더 당기기는 한다."

"그렇지?"

화군악은 반색하며 자리에서 일어나 술병 하나를 찾아왔다.

두 사람은 잔도 꺼내지 않은 채 술병에 입을 대고 번갈아 한 모금씩 마셨다. 빈속이라 그런지 취기가 빠르게 올라왔다.

장예추는 소매로 입가를 훔치며 화군악에게 술병을 건넸다. 그는 화군악이 고개를 뒤로 젖힌 채 술을 마시는 걸 지켜보면서 물었다.

"손은 어때?"

"아, 괜찮아. 벌써 지혈하고 약 발랐으니까 이삼 일이면 아물 거야."

"심하지 않아서 다행이네."

"아니, 심해. 하지만 워낙 내 회복력이 괴물 같아서, 뭐 이보다 더 큰 부상도 금세 치유하거든."

"하여튼 저 허풍은."

장예추는 문득 생각났다는 듯이 말을 이었다.

"허풍 하니까 떠오르네. 무적공자 화군악이라니, 정말 허세 가득한 별호네. 설마 네가 지은 거야?"

"크으."

화군악은 독한 술기운에 한껏 도리질하며 술병을 내려놓은 후 천천히 입을 열었다.

"몰라. 그런 별명이 있었는지도 오래전에 잊고 있었으

니까. 뭐, 그래도 무림엽사보다는 낫지 않겠어?"

"흠. 내 별호가 더 낫게 들리는데."

"아니, 내 별호가 조금 더 나아."

"됐다. 그건 그렇고, 이제 네 이름까지 밝혀졌는데 어떻게 할 생각이야? 이대로 성도부로 도망칠까?"

"그건 아니라고 봐."

화군악이 술병을 건네자, 장예추가 조금밖에 남지 않은 술을 단숨에 비웠다. 화군악은 "쳇." 하면서 아깝다는 눈빛으로 빈 술병을 바라보며 말했다.

"아직 이곳에서 할 일이 남았잖아? 우선 담 형님의 상태를 확인하고, 두 번째로는 조 영감이 제대로 된 물주를 구할 때까지 기다려야 하고, 세 번째로는 그 구미호에게 오룡회주가 어떻게 죽었는지 알아봐야 할 것이며, 마지막으로는 담 형님을 저리 만든 놈들에게 복수를 해야지."

"그런데 조금 이상하지 않았어?"

"응? 뭐가?"

"담 형님 말이야. 도저히 피하지 못할 정도로 그 운룡신창이라는 늙은이의 장력이 대단해 보이지는 않았거든."

"음."

장예추의 말에 화군악이 턱을 매만지며 고개를 끄덕였다.

"그래. 그때 나도 조금 이상하다는 생각이 들었지. 뭐랄까, 마치 담 형님의 움직임이 한순간 경직된 듯한 것 같았거든. 무정검왕을 쓰러뜨린 직후에 말이지."

"아, 그러고 보니 무정검왕의 움직임도 어딘지 모르게 어색했어. 마지막에 담 형님을 찌를 수 있던 순간이 분명 있었는데 일부러 멈춘 것 같았거든."

"설마 그럴 리가 있겠어?"

"아냐. 확실히 그렇게 보였거든."

장예추는 살짝 눈빛을 반짝이며 말했다.

"어쩌면 무정검왕과 담 형님 사이에 무슨 인연이나 악연이 있었는지도 몰라."

그때였다.

"역시 감이 좋으시네요."

여인의 부드러운 목소리가 복도 안쪽으로 들려왔다. 장예추와 화군악은 동시에 고개를 돌렸다. 복도 안쪽에서 나찰염요가 천천히 걸어 나왔다.

화군악과 장예추는 자리에서 벌떡 일어나며 물었다.

"형님은요?"

"괜찮아지셨습니까?"

나찰염요는 두 사람을 향해 허리를 숙이며 말했다.

"도련님들이 주신 영약 덕분에, 그리고 유 사부의 추궁과혈 덕분에 상당히 좋아진 것 같아요. 지금 담 대가(大

哥)는 숙면 중이고, 유 사부는 추궁과혈을 하는 와중에 소모된 내력을 보충하기 위해서 운기조식을 하고 있어요. 다시 한번 감사드려요. 정말 고마워요."

"별말씀을요. 그저 할 일을 했을 뿐이죠."

"그건 군악 말이 맞습니다. 참, 이리로 앉으시죠."

나찰염요가 자리에 앉자 화군악이 호기심을 참지 못하겠다는 듯이 물었다.

"조금 전 예추의 감이 좋다고 하셨는데, 그럼 무정검왕과 담 형님이 서로 아는 사이였어요?"

"그 전에 잠시만요."

나찰염요는 불쑥 화군악의 손을 잡고는 상처 부위를 확인했다. 화군악이 멋쩍어하며 말했다.

"괜찮다니까요."

"아뇨. 치료는 확실하게 하면 할수록 좋은 거예요."

그녀는 단호하게 말한 후, 품에서 금창약을 꺼내 화군악의 손바닥에 부었다. 그러고는 언제 준비했는지 베로 된 붕대를 꺼내 화군악의 손을 칭칭 감았다.

화군악의 눈이 휘둥그레졌다.

"붕대도 가지고 다니세요?"

나찰염요의 얼굴이 살짝 붉어졌다.

"아뇨. 죄송해요. 제 속옷을 찢어서……."

"아……."

덩달아 화군악의 얼굴도 붉어졌다. 나찰염요가 재빨리 말했다.

"한 번도 입지 않은 새 옷이니 너무 불편해하지 않으셔도 돼요."

"아뇨, 괜찮습니다. 외려 형수께서 이렇게까지 해 주시니 몸 둘 바를 모르겠어요."

"그리 말씀해 주시니 고마워요."

붕대를 다 감은 나찰염요는 화군악의 손을 놓으며 되물었다.

"무정검왕과 담 대가가 아는 사이냐고 하셨죠?"

화군악이 고개를 끄덕이며 말했다.

"네, 그런 것 같더라고요."

"맞아요. 두 사람은 인연이 있는 사이죠."

나찰염요는 나직하고 차분한 어조로 말했다.

"물론 나와도 인연이 있는 사람이에요, 무정검왕은."

"아. 그렇구나."

눈치 빠른 장예추가 알았다는 듯한 표정을 지으며 입을 열었다.

"무정검왕이 과거 사선행자들을 가르치던 교부 중 한 명이었군요."

"맞아요."

나찰염요는 고개를 끄덕인 후, 수십 년 전의 일에 대해서 간략하게 설명했다.

당시 목 교부라 불렸던 무정검왕이 얼마나 다정하고 세심하며 따뜻하게 아이들을 가르쳤는지, 그리고 왜 그 일에 좌절하고 염증을 느꼈는지에 대해서 이야기했다.

"아마도 목 교부는 마지막 일격을 가할 때 담 대가가 누구인지 알아보았던 것 같아요. 그래서 주춤거렸을 것이고…… 또 담 대가는 목 교부가 자신을 알아보고 손속에 정을 남긴 것에 한순간 혼란을 일으켰을 테고, 그 바람에 미처 운룡신창의 장력을 피하지 못했을 거예요."

나찰염요는 나직하게 한숨을 쉬는 것으로 길고 긴 이야기를 마쳤다.

3. 비선(秘線)

"역시……."

장예추는 고개를 끄덕였다. 자신의 추측이 정확하게 맞아떨어진 것이다.

"대단하네요."

화군악은 진심으로 감탄했다.

"삼십 년 세월이 흘렀는데 담 형님을 알아본 무정검왕도 대단하고, 예전의 스승을 상대로 전력을 다해 싸운 형님도 대단하네요."

"담 형님이야 무정검왕에게 보여 드리고 싶었겠지. 그 어린 꼬마였던 자신이 이렇게 성장했다는 걸 말이지."

"그럴 수도 있겠네. 여하튼 후회 없는 승부였기를."

화군악의 말에 나찰염요가 문득 고개를 끄덕이며 말을 받았다.

"그래요. 두 사람 모두 후회 없는 승부였을 거예요. 두 사람 모두 후회나 회한을 남길 정도로 어리석은 사내들이 아니니까요."

"그렇겠죠."

장예추의 대답을 마지막으로 잠시 대화가 끊겼다. 어색한 침묵이 맴도는 가운데 세 사람은 저마다의 상념에 잠겼다.

얼마나 시간이 흘렀을까.

복도 저편에서 유 노대가 걸어 나왔다. 사람들은 반색하며 그를 맞이했다.

유 노대는 아직도 지친 기색으로 털썩 자리에 주저앉았다. 장예추가 찻잔을 가져와 차를 따르자 유 노대는 고개를 저으며 술을 찾았다.

"내가 어젯밤 한 병 챙겨 둔 게 있었는데? 응, 벌써 다 마신 겐가?"

유 노대는 뒤늦게 텅 빈 술병을 발견하고는 눈살을 찌

푸렸다. 화군악이 헤헤 웃으며 입을 열었다.

"병이 작아요. 한 모금씩 나눠 마시니까 금세 떨어지더라고요."

"빈속에 술은 무슨."

"그러는 유 사부도 지금 술을 찾으셨잖아요?"

"그야…… 에휴, 됐다. 말을 말자."

"형님은 어때요?"

"잘 자고 있다."

유 노대는 장예추가 따른 차를 한 모금 마신 후 다시 입을 열었다.

"외려 이번 일로 이득을 봤으면 봤지, 손해는 보지 않았을 게야. 어쨌든 대환단과 자소단을 복용했으니 말이지. 아무리 못해도 최소한 이십 년 이상의 내공을 얻게 될 테니까."

화군악이 입술을 내밀며 투덜거렸다.

"예추가 자소단을 꺼낼 줄 알았더라면 나는 가만있을 걸 그랬어요."

"그래. 그게 네 녀석의 본심인 게지."

"가뜩이나 강한 형님이 더 강해지는 것보다 우리가 강해지는 게 훨씬 도움이 된다니까요."

"그래, 그래. 네 말도 맞다. 참, 운기조식을 하셨소?"

유 노대는 화군악을 향해 손사래를 젓고는 나찰염요를

돌아보며 물었다. 나찰염요가 살짝 눈을 동그랗게 뜨며 의아한 표정을 지었다.

"저는 운기조식을 해야 할 정도로 다치거나 내력을 소모하지 않았어요."

"아, 그게 아니라…… 그러니까, 허험."

유 노대는 말하기 곤란한 듯 헛기침을 하다가 계속해서 말을 이어 나갔다.

"부인께서 먼저 자소단과 대환단을 입에 넣고 녹이셨으니 소량이나마 복용했을 것이오. 그러니 운기조식을 한다면 그 영약들의 효력을 조금이라도 챙길 수 있을 거라는 뜻이오."

"아, 그런가요? 고맙습니다, 유 사부."

나찰염요는 웃으며 말을 이었다.

"하지만 괜찮아요. 입에서 녹인 자소단과 대환단은 하나도 남김없이 그이에게 주었으니까요."

"아, 그러셨소?"

유 노대는 재차 헛기침을 한 후 화군악을 돌아보며 화제를 전환했다.

"그나저나 무적공자 화군악이라니, 도대체 그런 허세 가득한 별호는 누가 지은 거야?"

화군악이 쓴웃음을 흘리며 장예추를 돌아보았다. 장예추도 미미한 미소를 지으며 고개를 끄덕였다.

"안 그래도 조금 전 이 친구에게 물어봤습니다. 당연히 자기는 모르는 일이라면서 시치미를 딱 떼더군요."

"진짜 모른다니까. 그럼 넌 사오 년 전에 있었던 시시콜콜한 일들을 모두 기억해?"

"네 별호가 시시콜콜한 건 아니잖아?"

"아휴. 됐다, 됐어."

"그래, 그건 됐다."

유 노대가 다시 입을 열었다.

"무적공자야 차치하고, 무엇보다 네 녀석 이름이 밝혀진 게 문제이니까."

화군악은 어깨를 으쓱거렸다.

"뭐, 문제 될 게 있겠어요? 이름 석 자로 내가 어디 사는지, 뭐 하는 놈인지, 누구와 함께 있는지 등등을 알아낼 재간이 놈들에게 있을 리 없으니까요."

"아니, 너무 그들을 무시하지 마라."

유 노대는 진중한 표정을 지으며 말을 이었다.

"그들에게는 황계나 흑개방 못지않은 정보 조직이 있으니까. 그들이라면 단지 이름 석 자만으로도 네 모든 것을 샅샅이 알아낼 수 있을 게다."

"네? 그런 정보 조직이 있어요, 태극천맹에?"

화군악이 생전 처음 들어 본다는 표정을 지을 때, 반면 장예추는 눈살을 찌푸리며 나지막하게 중얼거렸다.

"비선(秘線)……."

마침 유 노대가 그의 중얼거림을 듣고는 눈빛을 반짝이며 말했다.

"호오, 예추 너는 이미 알고 있었구나."

"비선이요?"

화군악은 고개를 갸우뚱거리며 입을 열었다.

"그런 조직이 태극천맹에 있었어? 왜 나는 처음 들었지?"

장예추는 무심한 어조로 말했다.

"앞에 나서지 않고 늘 뒤에서만 움직이니까."

"그런데 너는 어떻게 알고 있는데?"

"그건……."

장예추는 잠시 말꼬리를 흐리다가 나지막한 한숨과 함께 대답했다.

"그 조직의 인물과 잠깐이나마 연이 있었거든."

"그래?"

화군악은 가만히 장예추의 표정을 지켜보다가 문득 고개를 크게 끄덕이며 의미심장한 미소를 지었다. 그러고는 팔꿈치로 장예추의 옆구리를 툭 치면서 흐흐 짓궂은 웃음을 흘리며 말했다.

"계집이지? 역시 바람둥이라니까."

장예추는 가타부타 대꾸 없이 가볍게 눈살을 찌푸렸

다. 화군악은 그의 얼굴에 제 얼굴을 가까이 들이대면서 집요하게 물었다.

"누군데? 얼마나 예쁜데? 제수씨는 알아? 아, 제수씨랑 사귀기 전에 알았던 여자야?"

"휴우."

장예추는 고개를 설레설레 흔들며 말했다.

"다시 한번 깨닫게 되지만, 참 너란 놈은 몹쓸 녀석이다."

"뭐 그걸 이제 안 것처럼 그래? 내가 몹쓸 녀석이라는 건 세상 사람 전부가 아닌 사실인데."

"자랑이다."

"자랑은 무슨. 그게 사실이니까 부끄러울 것도 자랑할 것도 없는 거지. 어쨌든 그 비선의 계집하고 어디까지 갔었는데?"

"됐다."

장예추는 더 이상 대화할 가치가 없다는 듯 잘라 말하고는 인상을 찡그린 채 유 노대를 돌아보며 입을 열었다.

"확실히 비선이 상당한 능력을 지닌 정보 조직이기는 하지만 고작 화군악이라는 이름만으로 우리의 존재까지 파악할 수 있을까요?"

"글쎄. 그야 알 수 없는 일이다. 지금의 비선이 예전과 얼마나 달라졌는지 모르니 말이지."

유 노대는 팔짱을 끼며 말했다.

"원래 비선은 정사대전 당시 오대가문이 만든 조직이었지. 당시 오대가문은 정파의 고수들보다 뛰어난 실력을 지닌 사마외도의 고수들을 상대로 절대 정공법으로는 이길 수 없다고 판단했고, 그래서 그들의 비밀이나 약점, 은신처 등을 알아내어 기습을 감행하는 계획을 세웠지."

화군악은 마치 할아버지로부터 옛날이야기를 듣는 어린 손자처럼 눈빛을 반짝이며 귀를 기울였다.

"비선이라는 조직을 통해서 알아낸 정보를 통해 밀선(密線)이라는 조직이 계획을 세웠고, 그 계획을 사선(死線)이 집행했지. 그게 정사대전을 승리로 이끈 오대가문의 비책이었던 게고."

"아!"

화군악이 탄성을 흘렸다. 유 노대는 씁쓸한 표정을 지으며 말을 이었다.

"당시 우리는 그 세 조직을 가리켜 척마삼선(斥魔三線)이라고 부르기도 했단다. 사선의 경우에는 따로 '비선(秘線)의 살수(殺手)'라는 이름으로 불리기도 했고."

"으음."

장예추는 뭔가 깨달았다는 듯이 입을 열었다.

"설마 밀선이라는 조직이 현(現) 태극감찰밀의 전신(前身)인가요?"

"그렇지."

유 노대는 식은 찻물을 한 모금 들이켠 후 다시 말을 이어 나갔다.

"정사대전을 승리하고 태극천맹을 세운 정파 연합은 곧 그 세 조직을 개편하기로 했네. 만약 어느 한 세력이 그 세 조직을 지배한다면 그야말로 군림천하(君臨天下)가 가능할 테니까 말이지."

그런 연유로 비선이라는 조직은 무림의 정파 장로들로 구성된 원로회에서 관장하기로 했고, 밀선이라는 조직은 태극감찰밀이라는 조직으로 환골탈태한 후 태극천맹 맹주의 직속 기관이 되었다.

"그런데 왜 사선을 내팽개쳐진 겁니까?"

화군악이 기다리지 못하겠다는 듯이 불쑥 묻자, 유 노대는 대답 대신 힐끗 나찰염요를 바라보았다.

잠자코 듣고만 있던 나찰염요가 유 노대를 대신하듯 입을 열었다.

"우리가 생각보다 훨씬 강해졌기 때문이에요."

과거 사선의 조직원, 즉 사선행자 중 한 명이었던 그녀는 담담한 어조로 말했다.

"정사대전을 치르는 동안 우리는 암습이나 기습, 독살이 아니더라도 누구든 상대할 수 있고 또 죽일 수 있게 되었죠. 당연한 일이에요. 공적십이마나 구천십지백사백마들과 싸우면서 우리는 급속도로 성장했거든요."

일반적으로 한 번 싸워서 얻게 되는 경험치가 일(一)이라면 고수들, 특히 절정고수들과 싸우면서 획득하는 경험치는 십(十), 아니 백(百)이 되었다.

사선의 행자들은 이십여 년 동안 공적십이마나 그에 버금가는 사마외도의 고수들과 싸우고, 또 그들을 죽이면서 끝까지 살아남았다.

그 엄청난 경험치를 바탕으로 급성장한 그들은 이제 더 이상 사냥개가 아니었다. 외려 주인보다 더 강해져서 주인을 위협하고 언제든지 해치울 수 있는 잠재적인 공포로 변해 있었다.

그래서 무적가를 비롯한 오대가문은 사선의 행자들을 토사구팽한 것이다.

8장.

관무불관(官武不管)

우물물은 강물을 범하지 않는다[井水不犯河水]는 속담이 있는 것처럼,
관무불관(官武不管)이라고 해서
관가와 무림은 서로의 일에 간섭하지 않는 게 불문율이었으니까.

관무불관(官武不管)

1. 구본약(丘本藥)

멸절사태들이 귀환한 동시 금해가는 발칵 뒤집혔다.

믿을 수 없는, 있을 수 없는 일이 벌어진 게다. 천하의 무정검왕이 처참한 패배를 당하고 생사를 오가는 중태에 빠지다니, 직접 눈으로 보고도 외려 제 눈을 의심해야만 했다.

하지만 그 혼돈과 충격 속에서도 금해가의 행동은 신속했으며 대처는 뛰어났다. 금해가는 곧바로 무정검왕을 약당으로 옮기고 모든 전력과 의생을 동원하여 그를 치료했다.

멸절사태가 그 곁을 떠나지 않고 지켜 선 가운데, 홍염철검과 운룡신창, 그리고 장백두는 금해가의 가주 초일방에게 치욕적인 패배에 대해 이야기를 해야만 했다.

구처자가 죽고 무정검왕이 중태에 빠졌다는 건 실로 충격적인 보고였다.

하지만 초일방을 더욱 충격에 빠뜨린 이야기는 따로 있었다.

"방금 화군악이라고 했소?"

되묻는 초일방의 목소리가 부들부들 떨려 나왔다.

말석(末席)에 앉아 있던 장백두는 내심 의아해했다. 초일방이 저렇게 이성을 잃고 흥분하는 모습은 지금껏 처음 보는 일이었다.

'아니, 화군악이라는 자가 도대체 어떤 인물이기에 언제나 차분한 초 방주께서 저리 흥분하시는 걸까?'

장백두는 그런 의문을 품은 채 가만히 초일방을 지켜보았다.

"확실하오."

운룡신창은 이를 갈며 말했다.

"놈은 확실히 태극문해를 펼쳤소. 그리고 무당파 도사들이 아닌 이 중에서 태극문해를 펼칠 줄 아는 자는 오직 그때의 그 어린 괴물뿐이오."

초일방은 입술을 깨물었다. 그는 부들부들 떨리는 두 손을 꽉 쥔 채 호흡을 가다듬었다. 그리고 애써 침착함을 유지하면서 천천히 입을 열었다.

"혹시 무당파에게 물어는 보셨소?"

"물론이외다."

운룡신창은 크게 고개를 끄덕이며 말했다.

"그때 놈을 놓친 후 나와 구처자는 곧바로 무당파를 찾아가 따졌더랬소. 귀파의 태극문해를 펼치는 애송이가 지저갱의 죄수들을 탈옥시키고 광천노군까지 살해했다고 말이오."

가만히 귀 기울여 듣고 있던 장백두가 깜짝 놀랐다.

'응? 지저갱의 죄수들이 탈옥했어? 광천노군을 죽였다고?'

지금 운룡신창이 하는 말들은 장백두가 생전 처음 들어보는 이야기들이었다.

당연한 일이었다.

태극천맹의 입장에서 보자면, 한 번 갇히면 죽기 전까지는 절대 빠져나올 수 없다는 지저갱의 위엄은 결코 무너져서는 안 되는 신화(神話)였다.

그런 까닭에 당시 태극천맹과 금해가는 수만 금과 상당한 노력을 들여서 그 사건을 아예 없던 일로 만들었다.

사건에 관련된 자들은 모두 입을 봉인시켰고 목격자들은 더 이상 입을 열 수 없게 만들었다. 그로 인해 죽은 사람이 백여 명이었고, 좌천을 당하거나 외지로 옮겨 간 이들도 수백 명이었다.

그러니 행여 그 사실을 알고 있다 하더라도 겁에 질려 입을 여는 이가 없었으며, 그렇게 수년이 흐른 지금에는 완벽하게 세인(世人)들의 기억에서 삭제되었다.

장백두가 그렇게 놀라고 있는 동안에도 운룡신창의 격한 목소리는 계속해서 이어지고 있었다.

"무당파 장문인 진원도장은 헛웃음을 흘리며 이렇게 말하더이다. 무당파에서 태극검해를 펼칠 줄 아는 인물은 본인을 포함하여 열 명도 채 되지 않는다고 말이오. 물론 그들 모두 장로급 인물이라면서, 태극문해는 워낙 깊고 심오한 깨달음이 필요한 까닭에 겨우 약관을 벗어난 애송이가 익힐 만한 무공이 아니라고 했소이다."

"허어."

초일방은 절로 한숨을 쉬며 물었다.

"하지만 그때 광천노군을 살해한 무공은 분명 태극문해가 아니었소?"

"그러니까 말이외다."

운룡신창은 흥분을 가라앉히지 못한 채 말했다.

"나와 구처자는 그 사실을 언급하며 몇 번이나 따졌지만 더는 아무것도 알아낼 수가 없었소이다. 당시 진원도장은 외려 화군악이라는 자가 금해가의 식객이 아니었냐고 따져 묻더이다."

"으음."

초일방은 낮은 신음을 흘렸다.

확실히 당시 화군악은 금해가에 몸을 담고 있었으며, 초일방의 허락을 받아 대륙 각 지역을 떠돌아다니며 많은 상인들을 만난 바 있었다.

"아마도 그 와중에 화군악이라는 자가 무당파를 방문한 적이 있었던 모양이오. 하지만 불과 며칠 묵지 않고 곧바로 하산했다고 하더이다. 설마 그 며칠 사이에 화군악이 태극문해를 익힐 리는 없지 않겠소?"

당연히 그럴 리가 없었다.

태극문해는 무당파의 수많은 상승무공 중에서도 열 손가락 안에 드는 절정의 심공(心功)이었다.

워낙 이해하기 힘들고 심오한 깨달음을 필요로 하는 심공인지라, 무당파 장로들조차 미처 태극문해를 익히지 못한 이들도 적지 않았다.

그런 상승의 무공을 불과 며칠 사이에 깨우친다? 그건 결코 있을 수 없는 일이었다.

운룡신창의 말이 계속해서 이어졌다.

"진원도장은 그 무공을 펼친 자를 직접 보고 싶다면서 당장이라도 무당산을 내려올 기세였소. 그 얼굴이나 말투, 행동을 보건대 화군악이라는 애송이가 무당파와는 관련이 없는 자라는 것만 확인할 수 있었소이다."

"하지만 그것참 이상하구려. 태극문해는 분명 무당파 고유의 상승무공이고, 무당파 장로급 이상의 고수들만 익혔다고 하는데…… 광천노군을 살해한 무공과 또 양 노태사(老太師)를 핍박했던 무공이 태극문해라는 것도 확실하다면……."

초일방은 말꼬리를 흐리며 고개를 내저었다.

"어쨌든 지금 그게 중요한 게 아니지 않소이까?"

운룡신창은 답답하다는 듯이 말했다.

"무엇보다 중요한 건 그 무적공자 화군악이 지금 이곳 악양부에 있다는 것이오. 자칫 여유를 부리고 늦장을 부리다가 그를 놓치는 일은 절대 있어서는 안 된다는 말씀이외다."

"그건 걱정하지 않으셔도 되오."

초일방이 살짝 표정을 풀며 말했다.

"지금 악양부 주변에는 천라지망이 펼쳐져 있소. 거기에 본가의 숙객들이 친히 나섰으니 얼마 지나지 않아 놈들이 숨어 있는 곳을 발견할 것이오."

그렇게 말하는 초일방의 표정은 언제나처럼 침착하며 여유로워 보였다.

하지만 여전히 그의 눈빛은 증오와 원한의 불길로 뜨겁게 타오르고 있었다.

"화군악……."

초일방은 그 씹어 죽여도 성에 차지 않을 이름을 한 번 되뇐 후, 운룡신창을 바라보며 입을 열었다.

"화군악, 그놈에 대한 원한은 양 노태사보다 본 가주가 더할 것이오. 하마터면 놈에 의해 내 모든 것이 무너질 뻔했으니까. 그러니 걱정하지 마시오. 놈의 꼬리를 찾은 이상, 두 번 다시 놓치지 않을 테니까."

초일방은 한 자 한 자 씹어 내뱉듯 말을 이었다.

"반드시 놈을 찾겠소. 그리고 반드시 놈을 죽일 것이오."

언제나 인자하고 푸근한 인상의 초일방이 그렇게 살기 뚝뚝 떨어지는 목소리로 말하자, 듣는 이의 등골이 오싹해지고 온몸에 소름이 돋았다. 심지어 운룡신창마저 움찔하여 더 이상 아무런 말도 하지 못했다.

그때, 대청 밖에서 늙수그레한 음성이 들려왔다.

"속하 구본약(丘本藥)이 대령했습니다."

순간 초일방의 얼굴 가득 서려 있던 살기와 냉기가 사라졌다. 이내 그는 평소의 그 온화한 표정을 지으며 부드러운 어조로 말했다.

"아, 구 당주. 어서 안으로 드시오."

문이 열리고 한 명의 노의생(老醫生)이 허리를 굽힌 채 대청으로 들어섰다.

그는 금해가의 현 약당 책임을 맡은 자로 이름은 구본약, 별호는 죽은 자도 살린다는 의미의 활명선생(活命先

生)이었다.

그의 의술 솜씨는 실로 매우 뛰어나 혹자는 그가 전설의 약왕문(藥王門) 사람이 아닐까, 하는 의구심도 내비쳤다.

그러나 구본약은 자신의 사문이 신수의가(神手醫家)에서 갈려 나온 방계 중 하나라고 이야기했다.

구본약은 천천히 대청을 가로질러 탁자 앞으로 다가와 허리를 굽혔다. 초일방은 걱정스럽다는 표정을 지으며 그에게 물었다.

"그래, 무정검왕의 상세는 어떻소?"

구본약은 허리를 숙인 채 입을 열었다.

"서른두 가지 약품으로 상처를 치료한 뒤 삼백육십 바늘로 상처 부위를 꿰어 봉합하고 일흔여섯 가지 약재를 달여 복용케 했습니다. 다행히 목숨에는 지장이 없습니다만…… 아무래도 왼팔은 더 이상 사용할 수 없을 것 같습니다."

"으음."

"아……."

사람들의 입에서 서로 다른 신음이 새어 나왔다. 초일방은 낯을 찌푸리며 다시 물었다.

"더 이상 사용할 수 없다는 게 어떤 의미요?"

"그러니까 무공을 펼치는 건 물론 일상생활에서 무거

운 걸 들거나 세심하게 손을 사용하는 일들은 제대로 할 수 없을 겁니다. 그나마 얼마나 무정검왕이 노력하느냐에 따라서 손가락을 움직이고 팔을 휘두르는 등의 행동은 가능할지도 모릅니다."

구본약은 침착하게 말을 이었다.

"뜯어져 나간 살점과 흘린 피야 제대로 된 약을 먹고 오랫동안 치료를 하면 나을 수는 있겠습니다만, 무엇보다 근육과 혈맥, 기맥이 모두 손상되었다는 점이 크거든요. 나름대로 끊어진 근육과 혈맥은 다시 이어 두었습니다만…… 아무래도 속하의 실력이 부족한 까닭에 완치는 어려울 것 같습니다."

듣고 있던 운룡신창이 살짝 놀란 표정으로 구본약을 다시 돌아보았다.

'끊어진 근육과 혈맥을 잇는다니, 그런 방법도 있는 겐가? 아니, 그런 수술을 할 수 있다는 겐가?'

이 시대 의학의 실정에 비춰 보자면 한 번 손상된 근육이나 혈맥, 신경들은 두 번 다시 복구할 수 없었다.

그래서 결투나 혹은 전투 중에 팔을 다치고 다리를 다치는 바람에 그대로 불구가 되는 무림인이나 병사들이 수두룩했다.

그런데 지금 이 늙고 초라해 보이는 의생은 운룡신창이 생전 처음 들어 보는 수술을 아주 쉽고 간단하다는 식으로 이야기하고 있었다.

"허허, 그게 어찌 구 당주의 실력 탓이겠소? 구 당주가 얼마나 뛰어난 실력을 지녔는지는 내가 누구보다도 더 잘 알고 있으니 그런 말씀은 하지 마시오."

초일방이 미소를 지으며 말했다.

"그럼 무정검왕이 쾌차할 때까지 계속해서 잘 부탁드리오."

"명을 받들겠습니다."

구본약은 정중하게 인사를 한 후 대청을 빠져나갔다.

2. 통문(通文)

"무슨 일이라도 벌어진 거야? 오래간만에 악양부에 왔더니 뭐가 이리 살벌해?"

"글쎄. 나도 어제 막 도착해서 잘 모르겠는걸? 하지만 뭔가 큰일이 일어난 게 분명해. 그렇지 않고서야 성에 들어설 때부터 그렇게 경계 경비가 삼엄할 리가 없으니까."

"아무래도 무림 쪽이겠지? 태극천맹 무사들이 사방에 좌악 깔렸더라고. 거기에 포졸과 포쾌들은 그들 눈치 보느라 급급하던데."

"흠, 나는 들은 게 있긴 한데."

"음? 뭔데? 뭘 들었는데?"

"그러니까 말이지. 이틀 전 새벽이었나, 남천로에 대복객잔이라고 있거든."

장사꾼 차림의 복장을 한 세 명의 중년 사내가 객잔 구석진 자리에 앉아서 술과 요리를 앞에 둔 채 은근한 목소리로 대화를 나누고 있었다.

그들 모두 비단옷을 걸치고 화려한 장신구를 착용한 걸로 보아 제법 부유한 장사꾼들임이 분명했다.

"대복객잔?"

벽을 등지고 앉아 있던 중년인이 아는 체를 하며 입을 열었다.

"대복객잔이라면 나도 좀 알지. 거기 우육탕이 진짜 맛있거든. 몇 번 가서 먹은 적이 있네."

"아, 나도 가 본 적이 있네. 하지만 나는 소문보다 별로여서 실망했던 기억이 있는데."

두 명의 중년인이 앞다퉈 말하자, 객잔 후문 쪽으로 이어지는 복도 입구에 앉아 있던 중년인이 손사래를 치며 나지막하게 말했다.

"뭐, 그런 게 중요한 건 아니고. 어쨌든 닷새 전 새벽녘에 그 대복객잔이 박살 났다고 하더라고."

"박살이 나다니, 그게 무슨 말이야?"

"말 그대로일세. 이 층 벽에 사람이 오갈 수 있는 구멍이 뻥뻥 뚫리고 이 층 대청이 무너져 내려앉아서 온통 흙투성이로 변했다더군그래."

"응? 다친 사람은?"

"글쎄. 곳곳에 핏자국이 흥건하다고 들었지만, 시신이나 부상자는 한 명도 없다고 하더군. 게다가 더 놀라운 건……."

"더 놀라운 건?"

"대복객잔 사람들이 모두 사라졌다는 걸세. 지배인부터 숙수, 점소이들 모두 아예 처음부터 존재하지 않았던 것처럼 말일세."

"응? 그건 또 무슨 일인데?"

"그러니까 말이지. 어쨌든 흉흉한 눈빛의 태극천맹 무사들이 악양부 성문부터 시작하여 시내 곳곳에서 검문검색을 하는 걸 보면 분명 그들과 연관이 있지 않나 싶으이."

"설마……."

"설마?"

"설마 대복객잔 사람들이 무림인이었다면?"

"응? 설마."

"대복객잔에는 몇 번 가서 식사했지만 전혀 그런 낌새가 없었는데?"

"그러니까 말일세. 그들이 정체를 감춘 무림인, 가령 사마외도의 복권(復權)을 노리는 고수들이었다면, 그래서 그 사실을 알게 된 태극천맹이나 금해가 고수들과 한

바탕 싸움이 벌어졌다면, 그리고 태극천맹의 손아귀를 빠져나갔다면…… 그렇다면 지금의 저 사달이 대충 설명되지 않을까 싶은데. 어떤가, 내 추측이?"

"흐음."

"으음, 듣고 보니 그럴듯하군그래. 하기야 저 태극천맹이나 금해가 무사들이 눈에 불을 켜고 찾아다니는 모습을 보면 자네의 추측이 맞는 것 같기도 하네."

"어쨌든 다들 조심하자고. 돈 몇 푼 벌러 왔다가 자칫 불상사라도 당하면 큰일이니까."

"그렇지. 괜히 고래 싸움에 새우 등 터질 수도 있다고. 우리 같은 장사꾼들은 괜히 쳐다보지도 말고 아는 체도 하지 말고 그래야 하는 법이니까. 무림인들 앞에서는 그야말로 귀머거리, 벙어리, 장님이 되어야 한다니까."

"문제는 그래도 눈먼 돌이 날아와 뒤통수를 후려칠 수 있다는 거지. 무림인들이 한 번 눈이 돌아가면 주변 사정, 주위 사람들 전혀 신경 쓰지 않고 마구잡이로 칼을 휘두르니까. 그러니 다들 조심하고, 정 불안하다 싶으면 낭인이나 호위무사를 고용하는 것도 나쁘지 않아."

"첫, 괜히 왔나 싶으이."

벽 쪽에 앉아 있던 중년인이 술 한 잔을 마신 후 인상을 찡그리며 투덜거렸다.

"오래간만에 강서낭추 조 영감의 연락을 받고 부랴부

랴 달려왔는데 하필이면 악양부 상황이 이 모양이니 원. 만에 하나 조 영감의 물건이 형편없기라도 하다면 손해가 이만저만이 아닐 것 같아."

"뭐, 다른 사람도 아닌 조 영감의 장담이니까. 은자 수백만 냥짜리 물건이라고 했으니 거짓은 아니겠지."

"그나저나 불황이니 불경기니 하는데도 다들 돈이 차고 넘치는 모양일세. 좋은 물건 나왔다는 조 영감의 통문(通文)에 다들 수백만 냥을 싸 들고 부리나케 달려오는 걸 보면 말이지."

"쉿, 목소리 낮추게. 밤말은 도둑이 듣고, 낮말은 강도가 듣는다는 속담도 있지 않은가? 괜히 동네방네 다 알릴 필요 없다고."

"그야 당연하지. 어쨌든 이번 조 영감의 연락을 받고 악양부로 들어선 장사꾼들이 대략 오십 명은 넘을 것 같으니까. 역시 경매로 물건을 팔겠지?"

"아마도 그럴 걸세. 경매라는 게 가장 빠르고 간단하게 주인을 정하는 방식인 데다가, 애당초 조 영감이 가장 선호하는 방식이기도 하니까."

"자네들은 얼마 정도 예상하고 있나?"

"글쎄. 아직 물건을 보지 못해서."

"흐음. 그런 건 아무리 친한 사이라고 해도 물어보지 않는 게 예의지."

“미안, 미안. 내가 너무 오지랖이 넓었나 보네.”

세 명의 장사꾼은 동료인 동시에 강서낭추 조 영감의 물건을 사려는 경쟁자이기도 했다. 그런 까닭에 그들은 본론에 들어가자 서로 눈치를 보며 말을 아끼기 시작했다.

그들의 말수가 적어지면서 대신 술을 따르는 횟수와 음식을 집는 젓가락질의 빈도가 늘어났다.

한편 맞은편 자리에 홀로 앉아서 그들의 대화를 귀동냥하던 노인은 더 이상 들을 이야기가 없게 되자 시선을 창밖으로 돌리며 속으로 중얼거렸다.

‘아무래도 조 영감이 생각보다 잘하고 있는 것 같네.’

노인은 조 영감이 기녀에게 홀딱 빠져서 폐인 생활을 하고 있다고 생각했는데, 그래도 아직 예전의 그 명성이 남아 있는 듯 보였다.

조 영감의 통문을 받은 각 지역의 거상(巨商)과 재력가들이 앞다퉈 악양부를 찾아왔으니, 그것이야말로 강서 일대를 주름잡던 중개꾼, 강서낭추 조태수의 위명이 여전하다는 증거라 할 수 있었다.

검버섯과 주름투성이의 노인은 노인답지 않은 형형한 안광으로 창밖 거리를 살피며 홀로 술을 따라 마셨다.

거리에는 일 각에 한 번씩 태극천맹과 금해가, 포도아문(捕盜衙門)의 사람들이 대오(隊伍)를 맞춰 지나갔다.

그들은 살기등등한 눈빛으로 오가는 행인들을 일일이

살펴보았고, 행여 뭔가 수상하거나 미심쩍다 생각이 드는 자가 있으면 불문곡직 잡아서 검문검색을 하고 있었다.

행인들은 감히 불평이나 불만을 내비칠 수가 없었다. 무사들의 칼날은 저녁 햇살에 부딪혀 핏물처럼 붉게 반짝였고, 그들이 내뿜는 살기는 흉흉했으며 언행은 극도로 거칠고 위협적이었다.

자칫 말 한마디 잘못했다가는 그대로 목이 잘려 나갈 분위기였으니, 평범한 행인들은 그들의 요구에 따라 순순히 호패(號牌)나 노인(路引)과 문인(文引)을 꺼내 들었다.

호패는 곧 신분 증명서였으며 노인과 문인은 여행 증명서 혹은 통행 증명서라 할 수 있었으니, 타 지역을 오가는 행상이나 여객(旅客)이라면 반드시 지참해야 하는 소지품 중의 하나였다.

'흠, 귀찮게 되었군.'

노인은 가볍게 눈살을 찌푸렸다.

비록 천애고아로 자라 신분을 증명해 줄 부모나 친척이 전혀 없었지만, 그래도 아는 지인을 통해 호패 정도는 만들어 두었다.

하지만 그에게는 굳이 노인이나 문인까지 만들 이유가 없었다.

일반적으로 강호 무림인들은 노인이나 문인을 지참하

지 않았으니까. 그저 소지하고 있는 무기만 슬쩍 보여 주는 것만으로 간단하게 성문을 통과할 수 있었으니까.

우물물은 강물을 범하지 않는다[井水不犯河水]는 속담이 있는 것처럼, 관무불관(官武不管)이라고 해서 관가와 무림은 서로의 일에 간섭하지 않는 게 불문율이었으니까.

그런 의미에서 보자면, 지금 저 창밖 거리에서 벌어지는 일련의 상황은 꽤 의외라 할 수 있었다. 강호 무림인들을 끔찍하게 싫어하는 관아의 사람들이 무림의 거대 조직인 태극천맹과 금해가와 함께 협력하고 있으니 말이다.

다시 말해서 그만큼 이번 사태가 매우 중차대하다는 사실을 증명하는 광경이라고 할 수 있었다.

'쳇, 괜히 나돌아 다니다가 행여 저 검문검색에 걸리기라도 한다면 꽤 곤욕을 치를 수도 있겠어.'

노인은 투덜거리면서 하얀 턱수염을 쓰다듬었다. 아교와 몇 가지 재료를 혼합하여 붙인 것치고는 상당히 단단히 붙어 있는 수염이었다.

노인은 그렇게 술 한 병과 요리 한 그릇을 깨끗하게 비운 다음 자리에서 일어나 계산대로 향했다. 비단옷에 화려한 장신구를 착용한 노인의 모습에 계산대 앞의 지배인은 깍듯하게 그를 대했다.

"감사합니다. 다음에 또 찾아 주십시오."

"그럼 수고하시게."

노인은 늙수그레한 목소리로 말하고는 어슬렁거리며 객잔을 나섰다. 살짝 허리가 굽었지만, 당당한 풍채에 위엄까지 서려 있는 노인을 본 행인들은 가볍게 고개를 숙이며 길을 비켜 주었다.

태극천맹, 금해가, 아문의 순찰조만 아니라면 그야말로 평온하고 활기찬 악양부의 거리였다.

3. 노인(老人)

노인은 뒷짐을 진 채 천천히 거리를 따라 걸었다.

얼마 지나지 않아 정면에서 예의 그 순찰조가 모습을 드러냈다. 태극천맹 무사 셋, 금해가 무사 셋, 그리고 아문 사람들이 셋, 그렇게 모두 아홉 명으로 구성된 순찰조였다.

노인은 그들과 거리가 가까워지자 고개를 들고 빙긋 웃으며 말했다.

"수고들 하시네."

부잣집 노인, 혹은 고관대작의 위엄을 풍기는 노인의 모습에 아문 사람들은 저도 모르게 살짝 허리를 굽히며 말했다.

"별말씀을요. 감사합니다."

금해가와 태극천맹 무사들은 노인을 향해 가볍게 목례를 하면서도 예리한 눈초리로 노인의 얼굴과 전신을 훑어보았다. 노인은 태연한 신색으로 말했다.

"자네들이 이렇게 고생하고 수고하는 덕분에 우리 같은 보통 사람들이 평온하고 안전하게 살아갈 수 있는 게지. 자, 이걸로 술 한잔씩 하게나."

노인은 품에서 은원보 하나를 꺼내 아문 사람들에게 건넸다. 아문 사람들은 입이 함지박만하게 찢어졌다.

"어이쿠! 뭘 이런 걸 다……."

말은 겸양의 뜻을 표했지만 백 냥짜리 은원보는 이미 그들의 품 안으로 들어간 후였다.

"그럼 다들 수고하시게."

노인은 껄껄 웃으며 손을 흔들고는 그대로 어슬렁거리며 자리를 떴다.

아문 사람들은 행인들 사이로 사라지는 노인의 뒷모습을 향해 허리를 숙였다. 지켜보던 태극천맹 무사 중 한 명이 금해가 무사들에게 물었다.

"악양부의 유명 인사인가 보구려."

금해가 무사들은 고개를 갸웃거렸다.

"워낙 악양부에 갑부들이 많아서……."

잘 모르겠다는 말 흐림에 태극천맹 무사들의 눈빛이 일순 매섭게 빛났다. 그들은 아직도 허리를 숙이고 있는 아문 사람들을 향해 빠른 어조로 물었다.

"저 노인이 누구인지 아시오?"

아문 사람들은 허리를 펴며 태연한 얼굴로 되물었다.

"왜? 우리가 모른다고 하면 잡아 족치실 겁니까?"

불퉁거리며 묻는 모양새를 보자니, 아문 사람들은 이렇게 느닷없이 불려 나와 무림인들과 함께 검문검색을 하는 게 상당히 못마땅한 듯했다.

태극천맹 무사들은 눈살을 찌푸리며 말했다.

"묻는 말에 대답이나 하시오."

그 강압적인 목소리와 말투가 마음에 들지 않아서였을까, 아니면 여태 쌓인 불만이 터져 나온 것일까.

아문 사람들 중 우두머리 격인 포쾌가 배를 내밀며 무뚝뚝하게 말했다.

"북천가(北天街)에서 유명하신 황 노야가 바로 저분이시오. 그것도 모르시오?"

태극천맹 무사들은 금해가 무사들을 돌아보며 눈짓을 건넸다.

아는 사람이거나 들어 본 적이 있느냐는 눈빛이었다. 금해가 무사들은 당연히 고개를 저었다. 포쾌가 지금 아무렇게나 지어 낸 이름을 어찌 그들이 알 수 있겠는가.

태극천맹 무사들은 다시 포쾌를 돌아보며 서늘한 어조로 말했다.

"그게 거짓말일 경우에는 용서하지 않겠소."

포쾌는 내심 뜨끔했지만 여전히 당당한 태도로 말했다.

"사실이면 어쩔 것이오?"

"내 무릎을 꿇고 사과하리다."

"흥! 그럼 거짓말일 경우에는 내가 무릎을 꿇고 사과하리다."

일순 태극천맹 무사들과 금해가 무사들의 눈빛이 동시에 급변했다.

'거짓말이로구나!'

그들은 직감적으로 포쾌의 말이 거짓임을 알아차렸다.

만약 그 노인이 북천가의 황 대야라는 말이 사실이라면, 포쾌는 저런 식으로 뒤로 한 발 빼는 투의 말은 결코 하지 않았을 테니까.

"가자!"

눈치 빠른 무사는 동료들을 채근하며 몸을 돌렸다. 그들은 순식간에 인파를 헤치고 노인의 뒤를 따라붙었다.

하지만 믿을 수 없게도 노인의 모습은 전혀 보이지 않았다. 조금 전 행인들 사이로 사라졌던 노인이었는데, 일류급 무사 여섯 명이 일 각 동안 주변 거리를 샅샅이 뒤졌음에도 불구하고 노인의 행적은 온데간데없었다.

"아무래도 놈들 중 한 명일 가능성이 높다."

무사가 입술을 깨물며 중얼거리자 곁에 있던 동료가 의아한 표정을 지으며 물었다.

"하지만 우리가 받아 든 용모파기 중에서는 그런 노인이 없었잖나?"

"변장했겠지."

눈치 빠른 무사는 일과를 마치고 집으로 향하는 행인들을 둘러보며 말을 이었다.

"그 화군악이라는 자, 이십 대 중후반의 사내이지만 사십대 중년인으로 변장하고 있다고 했으니까. 육십 대, 칠십 대의 노인으로도 얼마든지 얼굴을 바꿀 수 있겠지."

"젠장. 그렇다면 더 놈들을 찾기 힘들어졌네."

"그러니까. 뭔가 수상하고 미심쩍은 자들은 최대한 끝까지 조사를 해야 할 걸세. 어쨌든 놈들 중 한 명으로 추정되는 자가 아직 악양부에 남아 있다는 사실을 확인한 것만으로도 큰 수확이라고 할 수 있겠지. 악양부 거리를 쏘다닌 지 닷새 만에 상부에 보고할 건(件)이 하나 생긴 거야."

"그렇군. 그나저나 그 거짓말을 한 포쾌는 어떻게 처리하지?"

"놔두게. 이번 보고가 상부에 들어가면 당연히 아문의 책임자도 알게 될 터, 나름대로 질책이나 합당한 벌을 받을 테니까. 굳이 우리가 건드려서 좋을 게 없네."

"흠, 알겠네. 그럼 나는 곧바로 지부로 돌아가서 이 사실을 보고하겠네."

"그렇게 하게. 나는 다시 돌아가서 계속 순찰을 돌 테니까."

태극천맹의 무사들은 그렇게 의견을 교환한 후 각자 맡은 바 일을 수행하기 위해 헤어졌다.

안색이 창백해진 채 기다리고 있던 포쾌가 빈손으로 돌아온 태극천맹과 금해가의 무사들을 보고는 안도의 한숨을 내쉬었다.

태극천맹 무사는 그를 힐끗 보고는 냉랭한 어조로 말했다.

"그럼 계속해서 순찰을 돕시다."

포쾌는 그 노인은 어찌 되었느냐고 묻고 싶은 걸 억지로 참으면서, 보다 적극적으로 태극천맹 무사들의 움직임에 협조하기 시작했다.

* * *

'이야, 눈치 빠른 놈이 있었네?'

풍채 좋은 노인으로 변장한 화군악은 골목 어귀에 숨어서 몸을 비스듬히 내민 채, 막 왔던 길로 돌아서는 태극천맹 무사들을 바라보며 혀를 내둘렀다.

만약 어슬렁거리며 태연하게 거리를 걷고 있었다면 꼼짝없이 뒤를 잡혔을 뻔했다.

'어느 조직에나 멍청한 놈이 있는 만큼 제대로 된 놈도 있는 법이지.'

화군악은 그렇게 생각하며 주위를 둘러보았다. 자신에게 시선을 두는 이가 없다는 걸 확인한 후, 화군악은 골목 안쪽으로 걸어 들어갔다.

몇 개의 골목가 큰 거리를 오가면서 남쪽으로 향하던 그는 이윽고 한적한 주택가로 들어섰다.

고관대작의 장원들이 늘어선 주택가도 아니고 그렇다고 다 쓰러져 가는 집들이 빼곡하게 들어선 골목도 아닌, 평범한 사람들이 모여 사는 골목길이었다.

황계의 악양부 안가는 그 골목길 중앙에 자리 잡고 있었다.

화군악은 다시 한번 한적한 골목길을 둘러본 후 대문을 두드렸다. 잠시 후 장예추가 나와 문을 열어 주었다.

"하마터면 꼬리를 밟힐 뻔했다."

화군악은 대문 안으로 들어서며 자랑스레 말했다.

"거리에서 눈치 빠른 태극천맹 무사들을 만났거든. 내 재치와 재빠른 상황 판단이 아니었다면 그대로 잡힐 뻔했어."

장예추가 문을 걸어 잠그며 타박하듯 말했다.

"그래서 나가지 말라고 했잖아? 굳이 답답하다고 나간 것 자체가 문제라고. 게다가 보지 않아도 뻔히 알 수 있겠다. 분명 네가 뭔가 그들에게 엉뚱한 짓을 했지? 그렇지 않고서야 노인 차림으로 제대로 변장한 너를 눈치챌 리가 없을 테니까."

"허험."

화군악은 찔린 듯 헛기침을 하더니 이내 말문을 돌렸다.

"그런데 왜 이 안가는 다른 안가처럼 진식이 펼쳐져 있지 않은 걸까?"

장예추는 마당을 가로질러 객청으로 향하며 대꾸했다.

"이야기 들었잖아, 숭 지부주로부터."

화군악이 황급히 그의 뒤를 따르며 물었다.

"응? 언제?"

"처음 만나서 술 마실 때 말이야. 그때 진짜로 취했던 거야, 너?"

"무슨. 내가 술에 취할 리가 있나? 그러니까…… 아, 술 마시다가 소피 본다고 잠시 자리를 뜬 적이 있었는데 그때 이야기했었나 보네."

"그랬나? 뭐, 어쨌든. 그때 숭 지부주는 기존에 만들어 둔 진식이 있기는 하지만 한 번도 사용하지 않아서 제대로 작동시키는 방법을 잊었다고 했어. 그 말을 듣고 사람들이 어이가 없다는 표정을 짓거나 헛웃음을 흘리니까 숭 지부주는 머리를 긁적이며 '이삼일 내로 알아 오겠다'라고 말했지. 그런데 그다음 날 일이 터졌던 거고."

"그것참. 의외네, 숭 지부주."

화군악은 어깨를 으쓱거리며 말했다.

"아무리 오랫동안 사용하지 않았다고 하더라도 진식을 발동하는 방법을 잊었다니, 그게 말이나 될 법한 일인가?"

"말이 안 될 게 뭐가 있겠어? 그만큼 악양부가 평화로웠다는 거니까."

장예추는 말을 하면서 객청 안으로 들어섰다.

객청 탁자에는 유 노대 홀로 앉아 있다가 화군악을 보고는 반색하며 물었다.

"술은?"

"아차!"

화군악이 제 이마를 쳤다.

그가 노인으로 변장하고 안가를 나설 때 유 노대가 부탁했던 술 심부름을 깜빡한 것이다.

저 객잔 장사꾼들의 대화에, 그리고 쉴 새 없이 길거리를 오가는 순찰조들에게 그만 깜빡하고 정신을 빼앗긴 탓이었다.

9장.

파별천리(跛鱉千里)

"세월은……."
담우천은 메마른 목소리로 말했다.
"세월은…… 험악했던 인상을 둥글게, 매섭던 눈매를 부드럽게 만드는
힘을 가진 것 같더군.
그 한 자루 칼 같던 귀신 교부마저도
웃을 때 동자승의 미소를 짓는 걸 보면 말이지."

파별천리(跛鱉千里)

1. 세월은……

객청으로 들어선 화군악의 빈손을 확인한 순간, 유 노대의 얼굴이 일그러졌다.

"아니, 그런 부탁 하나 못 들어주는 게냐?"

"죄송해요. 나름대로 사정이 있었다고요."

화군악은 유 노대의 맞은편 자리에 털썩 주저앉고는 하소연하듯, 혹은 무용담을 펼치듯 조금 전의 상황에 대해서 과장을 섞어서 설명했다.

처음에는 콧방귀를 뀌며 들은 척도 하지 않던 유 노대였지만, 화군악의 이야기가 끝나자 혀를 차며 나무라듯 말했다.

"애당초 그런 일이 벌어지기 전에 네가 뭔가 수상쩍은 짓거리를 했을 것이야. 그렇지 않고서 가만히 길을 가던 너를 붙잡으려 하지 않았을 테니까."

마침 새롭게 차를 타와 자리에 앉던 장예추가 빙긋 웃으며 말했다.

"유 사부도 나와 똑같이 말씀하시네."

"칫. 도대체 내 평소 모습이 어떻길래 다들 그리 말씀하시는 겁니까?"

화군악이 항복이라도 하듯 두 손을 높이 쳐들며 말했다.

"맞아요, 맞습니다. 제가 먼저 가서 말을 걸었습니다. 과연 녀석들이 얼마나 눈치가 빠르고 머리가 잘 돌아갈까 궁금해서 말입니다."

"그럴 줄 알았네."

"역시."

유 노대와 장예추는 유쾌한 표정을 지었다.

"이거 평소 행동을 잘해야지, 신용이 너무 바닥이네."

화군악이 입술을 내밀며 삐죽일 때였다.

"담 대가께서 정신을 차렸어요."

복도 안쪽에서 나찰염요의 목소리가 들려왔다. 세 사람은 동시에 자리를 박차고 소리가 들려온 방으로 달려갔다.

"형님!"

"괜찮으세요?"

"괜찮나?"
세 사람은 떠들썩하게 소리치며 방 안으로 들어섰다. 침상에는 막 정신을 차린 담우천이 누워 있었고, 그 옆에 나찰염요가 앉아서 간호를 하고 있었다.
며칠 사이 핼쑥해진 담우천은 퀭한 시선으로 사람들을 둘러보며 희미하게 웃었다.
"다들 건강하군그래."
여전히 무뚝뚝하고 나지막한 목소리였지만 평소와는 달리 힘이 실려 있지 않았다.
화군악이 투덜거리듯 말했다.
"형님만 건강하시면 됩니다."
"그래야지."
담우천은 다시 눈을 감았다.
유 노대가 화군악을 밀쳐 내고 앞으로 다가가 담우천의 맥을 쥐었다. 잠시 후 그는 담우천의 손을 내려놓으며 고개를 끄덕였다.
"확실히 좋아졌군. 아직 희미하기는 하지만 맥박이 일정하고 고른 걸 보니 최대한 닷새 안에는 자리를 박차고 일어날 수 있을 것이야."
나찰염요가 애써 눈물을 감추며 말했다.
"고마워요, 유 사부."
"고맙기는. 이게 다 담 장주의 튼튼한 신체 덕분이지.

아, 거기에다가 군악과 예추가 아낌없이 환단을 내놓은 덕분이기도 하고."

유 노대는 화군악의 눈빛을 의식했는지 그렇게 말하며 싱긋 웃었다.

"환단이라니요?"

담우천이 다시 눈을 뜨며 묻자, 나찰염요가 얼른 그간 상황을 이야기해서 그의 이해를 도왔다.

담우천은 물끄러미 화군악과 장예추를 올려다보며 말했다.

"자소단과 대환단이라니, 큰 빚을 졌군그래."

장예추가 고개를 저으며 대답했다.

"가족끼리는 빚이라고 하지 않는 겁니다."

화군악이 유쾌하게 떠들었다.

"열 배로 갚으셔야 합니다, 형님."

담우천의 입가에 희미한 미소가 그림자처럼 스며들었다.

"그래, 열 배로 갚아 주마."

그때였다.

"왜 안 피하셨어요?"

갑자기 뜬금없이 나찰염요가 그렇게 질문을 던졌다.

사람들은 눈을 동그랗게 뜨고 그녀를 바라보았다. 나찰염요는 정색한 채 냉정하고 차가운 눈빛으로 담우천을 내려다보면서 계속해서 말을 이어 나갔다.

"운룡신창의 신창도 아니고 장력이었어요. 피할 마음이 있었더라면 얼마든지 피할 수 있었죠. 심지어 담 대가를 가격한 운룡신창마저 놀라서 멈칫거렸을 정도였으니, 그 상황이 얼마나 말도 되지 않는 건지 알 수 있겠죠. 다시 한번 묻겠어요. 왜 안 피하신 건가요?"

사람들의 시선은 이제 나찰염요에게서 담우천에게로 옮겨 갔다.

담우천은 가만히 나찰염요를 올려다보았다. 다른 사람은 몰라도 그는 알 수 있었다. 나찰염요는 지금 매섭게 치켜뜬 눈매 저 안쪽에서 절로 글썽여지는 눈물을 애써 참는 중이라는 사실을.

담우천은 천천히 눈을 감았다. 그리고 차분하고 나지막한 목소리로 말했다.

"날 보고 웃으시더군."

사람들은 저도 모르게 침을 꿀꺽 삼켰다. 침이 목젖을 타고 내려가는 소리가 크게 울릴 정도로 방 안은 조용했고, 그런 가운데 담우천의 목소리만이 천천히 이어지고 있었다.

"우천이냐? 라면서 날 알아보시고는 티 없이 순수하고 자애로운 미소를 지으시더라니까, 그 악귀 같은 목 교부가 말이야."

묵묵히 듣고만 있던 나찰염요의 눈가가 어느새 촉촉해

졌다. 더 이상 참을 수가 없는 모양이었다.

"세월은……."

담우천은 메마른 목소리로 말했다.

"세월은…… 험악했던 인상을 둥글게, 매섭던 눈매를 부드럽게 만드는 힘을 가진 것 같더군. 그 한 자루 칼 같던 귀신 교부마저도 웃을 때 동자승의 미소를 짓는 걸 보면 말이지."

* * *

일부러 엄하게 굴었다. 자질이 보였으니까.

훈련의 강도를 계속해서 높였다. 그래도 끝까지 따라왔으니까.

엄하게 굴어도 소용없었다. 자신을 따라다니며 재잘재잘 이것저것 묻고 떠들며 친한 척하는 걸 보면.

신체의 극한까지 끌어올리는, 고되고 힘든 훈련도 상관없었다. 훈련을 받다가 혼절해 놓고도 다음 날이면 아무 일 없었다는 듯이 맨 앞자리를 차지하고 자신을 기다렸으니까.

그 아이였다, 지금 자신의 일검에 목숨을 잃을 처지에 처한 중년 사내는.

"우천이냐?"

무정검왕은, 목부강은, 목 교부는 수많은 소년소녀 수련생 중에서 유일하게 자신의 제자라고 여겼던 아이의 이름을 떠올렸고, 그래서 물었다.

중년 사내는 흠칫했다. 눈빛이 격렬하게 떨렸다.

–그렇구나. 우천이, 네 녀석이로구나.

저도 모르게 목 교부의 입가에 미소가 스며들었다.

그 코흘리개 꼬마 녀석이 이렇게 성장한 게다. 천하의 무정검왕과 비등하게 싸울 수 있을 정도로, 아니 무정검왕이 자신의 한쪽 팔을 내줘야만 비로소 승기를 잡을 수 있을 정도로 성장한 것이다.

기특하고 대견했다.

저 지옥 같은, 복마전 같은 강호에서 수십 년을 버티고 살아남은 끝에 이렇게 대단하고 훌륭한 무인으로 자란 것이다.

–녀석. 아직은 그래도 부족하다, 나를 따라잡으려면 말이지. 좀 더 성장해서 다시 내 앞에 서라.

목 교부는 웃으며 손에서 힘을 뺐다. 정확하게 담우천의 목을 꿰뚫던 검의 속도가 현저하게 떨어졌다.

그 찰나, 담우천이 어깨를 틀어 피할 수 있는 시간이 생긴 것이다.

목 교부는 담우천의 앞에서 천천히 무릎을 꿇으며 나지막하게 중얼거렸다.

"정말 미안했……."

2. 사연 없는 사람은 없다

"목 교부가 '정말 미안했다'고 말했다고요?"

묻는 나찰염요의 목소리에 희미한 물기가 묻어났다. 그녀의 차가운 눈빛은 흔들리고 있었고, 그녀의 목소리는 갈라져 있었으며 그녀의 아름다운 얼굴은 시체처럼 창백해져 있었다.

"그래."

담우천은 쿨럭이며 격하게 기침을 하기 시작했다.

유 노대가 얼른 침상 밑에서 타구(唾具)를 꺼내고는 담우천을 일으켜 앉히며 그의 입에 가져다 댔다. 쉬지 않고 토하듯 기침하던 담우천의 입에서 검은색에 가까운 가래와 타액이 흘러나왔다.

"걱정하지 말게. 체내에 남아 있던 울혈(鬱血)의 찌꺼기들이니까."

유 노대는 그렇게 말하며 담우천의 등을 쓰다듬었다. 그의 장심(掌心)에서 흘러나온 온유(溫柔)하고 따뜻한 내력이 담우천의 명문혈을 타고 그의 몸속으로 흘러 들어갔다.

약간의 시간이 흘렀다. 담우천이 한결 안정을 되찾은 기색을 보이자 유 노대는 다시 그를 조심스레 자리에 눕혔다.

"고맙습니다, 유 사부."

담우천이 말했다.

"허허. 빚이네, 나도. 자네가 백 배로 갚아야 할."

"명심하죠."

담우천은 고개를 끄덕인 후 다시 나찰염요를 올려다보았다. 그녀는 금방이라도 눈물을 쏟을 것 같은 표정으로 담우천을 내려다보고 있었다.

"그래."

담우천은 천천히 고개를 끄덕이며 말했다.

"목 교부는 내가 아니라, 당시 대종자(大種子)였던 우리들에게 사과를 하려고 한 게지."

"집어…… 치우라고 그래요."

나찰염요는 나지막한 목소리로 그렇게 말했다.

차라리 격렬하게 울부짖거나 미친 듯 악을 쓰며 괴성을 지르는 것보다 더 강렬한 울림이 담긴 목소리.

나찰염요는 그 말을 남기고 자리에서 일어나 방을 빠져 나갔다.

무슨 영문인지 모르는 유 노대와 화군악, 장예추는 나찰염요가 뿜어내는 한없이 차가운 냉기에, 그녀가 방을 나가 문을 닫을 때까지 아무 말도 하지 못했다.

"휴우."

문이 닫힌 후 화군악이 길게 한숨을 내쉬며 머리를 설레설레 흔들었다.

"형수님이 예전에 무시무시했다는 이야기는 들어 봤지만 진짜 이렇게 무서운 분인지는 몰랐어요."

장예추가 그의 옆구리를 치며 조용히 하라는 신호를 보냈다. 화군악은 헛기침을 하며 입을 다물었다.

담우천은 지그시 눈을 감은 채 무언가 곰곰이 생각하다가 천천히 입을 열었다.

"대충은 알고들 있겠지만 그녀와 나는 아주 어렸을 적부터 오대가문이 키운 살인 무기들이었지."

"아, 사선행자 말씀이죠?"

화군악이 말하다가 다시 장예추에게 옆구리를 찔렸다. 화군악은 얼른 입을 다물며 장예추를 향해 눈을 흘겼다.

"사선행자라……."

담우천의 이야기가 다시 이어졌다.

"사선행자는 우리가 성장하여 그곳을 나온 후 붙여진

이름이고…… 우리가 그곳에서 수련할 당시에는 대종자라는 이름으로 불렸지. 위대한 영웅이 될 수 있는 씨앗이라는 의미라고 하더군."

화군악은 뭔가 궁금하다는 표정을 지으며 입을 열려고 했지만, 이내 장예추의 눈치를 살피며 입을 다물었다.

"그곳에는 수백 명의 아이들이 있었네. 열 살도 안 된 꼬마부터 열서너 살 제법 콧잔등이 거뭇해진 아이들까지. 그리고 그들을 가르치는 교부와 교모가 있었고."

"교두(敎頭)인 거네요, 쉽게 말하자면."

화군악이 끼어들었다. 장예추의 한숨이 나지막하게 들려왔다.

담우천은 미미하게 고개를 끄덕이며 대답했다.

"그렇게 말할 수 있지. 어쨌든 그곳에서 우리는 십여 년을 살았고, 교부와 교모들에게 학대에 가까운 훈련을 받았네. 시간이 흐르면서 수백 명의 대종자는 곧 절반 이상 사라졌지. 훈련을 받다가 혹은 실전처럼 치러지는 비무 와중에 죽거나 다쳐서 쓸모가 없게 된 아이들의 수가 그렇다는 거야."

"으음."

유 노대가 얕은 신음을 흘렸다.

그 또한 정사대전 당시 정파 연합 소속이었다. 그리고 비선과 밀선, 사선을 아우르는 척마삼선에 대해서도 잘 알고 있었다. 그런 그가 과연 당시의 저런 속사정까지 모두 알고 있었을까.

담우천은 느릿하게 말을 이어 나갔다.

"그리고 다시 시간이 흘러 이윽고 우리가 그곳을 빠져나올 무렵에는 불과 육칠십 명밖에 남지 않았네. 수많은 대종자 중에서 대략 일 할가량만 살아서 사선행자가 될 수 있었던 걸세."

"지독했네요. 도대체 정파 놈들은 아무것도 모르는 아이들을 데려다가 그 무슨 짓을 한 겁니까?"

화군악이 혀를 내두르며 말했다. 이번에는 장예추도 그를 말리지 않았다.

담우천은 침착하게 말했다.

"그리고 염요는 대종자 시절, 친오빠를 잃고 홀로 살아남아 사선의 일원이 되었지."

"아!"

"아아……."

"으음……."

저도 모르게 장탄식을 터뜨린 화군악을 비롯한 사람들의 낯이 굳어졌다.

그제야 비로소 사람들은 무정검왕의 사과에 왜 나찰염요가 그런 식으로 문을 박차고 나갔는지 이해할 수 있었던 것이다.

담우천은 오랜 이야기에 조금 힘든 듯 잔기침을 쿨럭였다. 유 노대가 빠르고 섬세한 손길로 옆에 놓여 있던 사발을 들어 담우천에게 먹였다.

두어 모금 힘겹게 물을 마신 담우천은 잠시 호흡을 가다듬은 후 다시 입을 열었다.

"그녀는 나와 함께 살게 된 이후로도 가끔씩 밤에 발작을 일으키네. 교부, 교모들의 압력과 으름장과 위협에 가까운 설득 속에서 어쩔 수 없이 친오빠와 실전에 가까운 대련을 했던 기억이, 그 대련 와중에 친오빠가 중상을 입고 쓰러졌던 광경이…… 아직도 그녀를 괴롭히고 있는 것이지."

"아아……."

"이런."

"그런 일이……."

세 사람은 조금 전보다 훨씬 더 놀라고 크게 당황했다. 친오빠를 잃은 것만으로도 충격을 받기 충분했는데 심지어 자신의 손에 의해 결국 목숨을 잃었다면, 어지간한 사람이라면 도저히 그 정신적 충격을 감당하지 못했을 것이다.

담우천의 말이 계속 이어졌다.

"그 당시 우리는 옳고 그름을 판단할 이성이 없었네. 교부와 교모들에게 조종되는 꼭두각시와 다를 바가 없었지. 그들의 명령이라면 누구든 죽일 수 있었지. 그렇게 교육받고 자랐으니까, 그렇게 커 왔으니까."

철두철미한 살인 무기.

오대가문의 지시라면 죽는시늉이 아니라 진짜 그 자리에서 자결할 정도의 맹목적인 충성심을 가진 최고의 살인 병기.

그게 오대가문이 키우고자 한 사선의 행자들이었고, 십여 년의 모진 훈련 과정을 끝내고 살아남은 이들은 확실히 그들이 원하는 살인 무기가 되었다.

"목 교부는 그 모든 것을 지켜보았지. 처음에는 활달하고 유쾌하던 그가…… 어느 순간부터 말이 없어지고 아이들에게서 정을 떼려 하더니, 결국 스스로 교부 직을 내려놓고 그곳을 떠났네. 어쩌면 자신의 가치관이 흔들렸는지도 모르겠고 또 어쩌면 그렇게 죽어 가는 아이들을 더 이상 볼 수 없었을지도 모르네. 어쨌든 이후 나는 단 한 번도 그를 만나지 못했다. 정사대전 당시에도, 그 이후에도."

담우천은 게서 잠시 말을 멈췄다.

사람들은 저마다의 상념에 젖어 있었다. 분명 유쾌하거나 즐거운 상념은 아닌 모양이었다. 다들 심각하고 진중하며 우울한 표정을 짓고 있는 걸 보면.

담우천의 입이 다시 열렸다.

“대복객잔에서 그를 다시 만나게 되었을 때, 나를 알아보지 못하는 걸 천만다행이라고 생각했다. 마음 놓고 죽일 수 있었으니까. 그런데…… 마지막에 날 알아보더군. 그리고 날 죽이는 걸 포기하면서까지 그렇게 이야기하더군. 정말 미안했다고 말이지.”

갑자기 화군악이 머리를 벅벅 긁기 시작했다.

뭔가 가슴속에서 뜨거운 기운이 솟구쳐 올라 머릿속을 마구 헝클어 놓는 듯한 기분이 들었던 것이다.

말로 형언할 수 없는 복잡하고도 미묘한 감정, 크게 고함을 치고 마구 주먹을 휘두르고 싶은 기분.

그런 답답함을 견디지 못한 화군악은 애꿎은 머리만을 박박 긁고 있었다.

“다 그런 게야.”

유 노대가 한숨처럼 입을 열었다.

“다들 그런 게지. 누구나 가슴 깊은 곳에 말 못할 사연, 구구절절한 이야기 한두 개 정도는 가지고 있는 법이지. 세상에 사연 없는 사람이 어디 있겠나?”

사람들은 가만히 유 노대의 말에 귀를 기울였다.

“그 기구한 사연에, 그 업보 같은 일에 잡아먹히느냐 아니면 딛고 일어서느냐의 차이일 뿐이야. 아니, 그저 가슴 깊숙한 곳에 가둬 놓고 애써 모른 척하면서 지내는 방법도 있겠지. 어쨌든 다들 그렇게 살아가고 있으니까.”

다들 그렇게 살아가는 게다.

가슴 깊숙한 곳을 열고 뒤집어 흔들어 보면 나오는, 먼지 퀴퀴하게 내려앉은 기막힌 사연 한두 개쯤 다들 숨기듯 간직한 채 그렇게 살아가는 것이다.

그게 참을 수 없을 정도로 힘겹고 도저히 견딜 수 없는 이들이 손에 칼을 긋거나 목을 매거나 강에 뛰어드는 게고, 그렇지 않은 이들은 버티고 또 끈질기게 버티며 어떻게든 살아가고자 한다.

그렇게 죽는 자가 미련한 것일까. 그렇게 살아가는 이가 위대한 것일까.

아니다. 미련한 것도, 위대한 것도 아니다.

그저 견뎌 내느냐, 견뎌 내지 못하느냐의 차이일 뿐이다. 삶과 죽음은 그저 한 끗 차이에 불과할 뿐이니까.

3. 초심(初心)

"그래도 다들 잘 사네."

유 노대가 말했다.

"가슴이 찢어질 것 같은 고통도 두 번 다시 떠올리기 싫은 기억도 모두 시간이 흐르면 흐릿해지고 잊히는 법이지. 세월이 약이라는 말이 있잖은가? 다 그런 게야. 조금 전 담 장주가 말한 것처럼 세월은 모난 걸 걸 둥글게 만들고 뾰족한 걸 부드럽게 만드는 신묘함이 있지. 그게 어디 사물이나 사람 성격뿐이겠는가? 추억도 기억도 고통도 모두 둥글고 부드럽고 희미하게 만들어 주는 게야."

가만히 듣고 있던 화군악이 입을 삐죽이며 말했다.

"그런 좋은 말씀은 가서 형수에게 직접 해 주세요."

"응? 어허허허. 내가 또 그런 주변머리는 없어서."

유 노대가 너털웃음을 흘리며 머리를 긁었다. 화군악과 장예추, 심지어 담우천도 미소를 지었다.

담우천이 천천히 고개를 끄덕이며 입을 열었다.

"좋은 말씀이십니다. 나중에 따로 제가 직접 그녀에게 말하겠습니다."

"허허, 뭐 그러시게."

유 노대는 끄응 하며 자리에서 일어났다.

"그럼 편히 쉬게. 이미 영약을 복용했으니 안정을 취하고 마음을 다스리면 곧바로 자리에서 일어날 걸세. 뭐, 내가 만해는 아니지만 말일세."

"고맙습니다. 참, 염요를 불러 주셨으면 합니다."

"그렇게 하지."

유 노대가 자리에서 일어나는 걸 보고는 화군악과 장예추도 따라 일어나며 말했다.

"그럼 우리도 일어날게요."

"편히 쉬세요."

담우천이 미소를 지으며 대답했다.

"고맙다."

장예추와 화군악은 담우천을 뒤로하고 유 노대를 따라 방을 나섰다.

객청에는 나찰염요가 홀로 앉아서 차를 마시고 있었다. 장예추와 화군악이 엉거주춤 서 있는 가운데 유 노대가 그녀에게 다가가 말을 건넸다.

"담 장주가 찾으시네."

"죄송해요. 못난 꼴을 보여 드렸어요."

나찰염요는 고개를 숙였다. 유 노대가 고개를 저으며 말했다.

"아니네. 화가 날 때는 화를 내고 울고 싶을 때는 울어야 하는 걸세. 그래야 속병이 나지 않는 게지. 군악처럼 말이네."

"아니, 왜 또 가만히 있는 절 끌고 들어가시는 건데요?"

화군악이 의자를 당겨 앉으며 투덜거렸다. 유 노대는 입술을 내밀며 물었다.

"내 말이 틀렸누?"

"뭐 틀린 건 아니죠. 화날 때 화내고 기분 나쁠 때 성질부리는 건 사실이니까요. 하지만 울고 싶을 때 울지는 않는다고요. 사내가 함부로 눈물을 보일 수는 없잖습니까?"

"어쨌든 그러니까 속병이 나지 않는 게야."

유 노대는 다시 나찰염요를 돌아보며 말을 이었다.

"그러니 너무 속으로만 끙끙거리지 말고 가끔씩은 밖으로 표출하는 것도 정신 건강에 도움이 된다고 생각하네."

나찰염요는 희미하게 미소를 지으며 말했다.

"앞으로는 종종 화내고 울고 그럴게요."

"너무 자주는 그러지 말고."

"알겠어요. 그럼 전 이만."

나찰염요는 자리에서 일어나 담우천이 누워 있는 방으로 향했다.

장예추가 뒤늦게 자리에 앉으며 한숨을 쉬었다.

"집에 돌아가면 혜혜에게 더 잘해 줘야겠군. 그녀도 속병을 앓고 있을지도 모르니까."

화군악이 물었다.

"왜? 제수씨도 감정을 밖으로 내비치지 않아?"

"그런 편이야. 크게 화를 내는 모습이나 우는 모습을 본 기억이 거의 없거든."

"하지만 자주 웃잖아?"

"그거야……."

"그럼 된 거야. 애초 화낼 일도 슬픈 일도 없으니까 그런 것뿐이라고. 내 마누라처럼 말이지."

"흠, 진짜 그럴까?"

"그럼."

화군악이 어깨를 으쓱거릴 때, 유 노대가 끼어들며 화제를 전환시켰다.

"그건 그렇고…… 이제 슬슬 그 조 영감과 연락을 취해야 할 것 같은데. 누가 갈 겐가?"

"당연히 저죠."

"제가 가겠습니다."

유 노대의 말에 화군악과 장예추가 동시에 대답하고는 이내 서로를 돌아보며 인상을 찡그렸다.

화군악이 한숨을 쉬며 말했다.

"둘이 가자."

장예추가 고개를 끄덕였다.

"너 혼자 보내는 건 마음이 놓이지 않으니까."

"이봐, 누가 할 말인데."

"그만들 해라."

유 노대는 또 쓸데없는 말싸움이 벌어질까 황급히 끼어들며 말했다.

"어쨌든 진짜 조심해야 한다. 아무래도 금해가와 태극천맹이 단단히 벼르고 있는 것 같으니까."

"벼르라고 하죠."

화군악이 어깨를 으쓱거리며 말했다.

"수틀리면 아예 무적가나 철목가처럼 철저하게 박살

내 버릴 테니까요.”

“아무래도 너는 말이지, 감정을 감추고 숨길 줄도 알아야 할 것 같다.”

장예추가 진지한 어조로 충고했다.

“매번 그렇게 천둥벌거숭이처럼 나대다가 진짜 큰코다칠지도 모르니까.”

“흥.”

화군악이 코웃음을 쳤다. 장예추는 고개를 설레설레 흔들며 말했다.

“됐다. 우선 그 노인 분장부터 지워라. 벌써 그 변장에 대한 용모파기가 싹 돌았을 테니까. 그리고 어떻게 천맹과 금해가의 이목을 속이고 조 영감과 접선할지 고민하고.”

“그럼 너는?”

“나는 따로 할 일이 있어.”

“그러니까 그게 뭔데?”

“이 안가에 설치되어 있다는 진식을 발동시켜 보게.”

“응?”

화군악의 눈이 휘둥그레졌다. 유 노대도 살짝 놀란 눈으로 장예추를 돌아보았다.

화군악이 빠르게 물었다.

“진식에도 일가견이 있는 거야?”

“그 정도는 아니고.”

장예추는 쑥스럽다는 듯 살짝 콧잔등을 구기며 말했다.

"시간이 날 때마다 혜혜에게 배우던 참이었거든. 그동안 공부한 걸 써먹어 보려고."

"아…… 제수씨에게?"

화군악은 고개를 끄덕였다.

장예추의 아내인 당혜혜는 사천당문의 여인이었다. 그리고 사천당문은 독과 암기, 기관진식에 관하여 독보적인 위치에 있는 문파였으니 충분히 당혜혜를 스승으로 삼아 기관진식에 관해 공부할 수 있었다.

'호오, 그런 공부도 하고 있었어?'

화군악은 물끄러미 장예추를 바라보았다.

대단하다는 생각이 먼저 들었다. 그리고 그 뒤를 이어 질투에 가까운 감정이 그의 가슴속으로 스며들었다.

하지만 그것보다는 스스로에 대한 부끄러움과 자책감이 더욱 크게 화군악의 마음을 흔들어 놓고 있었다.

'나는 너무 안주하고 있었구나.'

화군악은 속으로 혀를 차며 스스로에게 질책했다.

그 역시 진법에 일가견이 있는 무당파의 여인인 정소흔을 아내로 두었으니, 마음만 먹으면 얼마든지 진법에 대해서 공부할 수 있었다.

하지만 화군악은 그렇게 하지 않았다. 처음부터 그런 생각 자체를 하지 않았다.

아니, 하지 못했다. 왜 진법을 배우겠다는 생각을 하지 못했을까.

'초심을 잃은 거다, 군악.'

화군악은 입술을 깨물었다.

살아남기 위해 발버둥 치던 시절을 보내고 이제 한 사람의 몫을 제대로 해낼 수 있게 되자, 그것으로 만족하고 그 자리에 안주하게 된 것이다.

조금 더 노력하고 배우고 수련한다면 충분히 두 사람 몫도 해낼 수 있음에도 불구하고, 화군악은 '이 정도면 충분해' 하고 그 자리에 멈춰 섰다.

화군악이 그렇게 멈춰 서 있는 동안 장예추는 만족을 모르고 계속해서 정진했으니, 과연 그 차이가 얼마나 벌어졌을까.

파별천리(跛鱉千里)라고 했다.

절름발이 자라가 천 리를 간다는 뜻이다. 초심을 잃지 않고 꾸준히 견지하고 노력하면 성공한다는 뜻이었다.

낙숫물이 댓돌을 뚫는다고 했다.

장예추는 분명 그럴 것이다.

'그럼 나는…….'

화군악의 얼굴이 천천히 굳어져 갔다.

10장.

탈명배수(奪命扒手)

하지만 왕윤은 저도 모르게 온몸을 떨었다.
등줄기에 소름이 파고들었다.
왕윤의 평생 동안 그렇게 지독하고 악랄하며 살기 가득 찬 미소는
처음 보았던 것이다.
초운혜는 웃으며 속살거렸다.

1. 으뜸 기물

보통 진법은 사상(四象), 오행(五行), 육합(六合), 칠성(七星), 팔괘(八卦), 구궁(九宮), 십방(十方)의 변화를 근간으로 하여 구성하는데, 이야기를 듣기로는 황계 안가에 설치되어 있는 진법은 칠성의 조화를 기반으로 하고 있다고 했다.

칠성진(七星陣)은 일곱 걸음마다 사문(死門)과 생문(生門), 휴문(休門)으로 변화하는 특징을 지니고 있었으며, 진법을 구성하는 기물의 숫자도 칠(七)을 바탕으로 배가 되었다.

진법이 작동하지 않고 멈춰 있다는 건 그 기물들 중 수

두(首頭)에 해당하는 으뜸 기물이 없거나 혹은 그 기물의 위치가 제자리를 벗어났다는 의미가 될 수 있었다.

객청에서 나온 장예추는 산책하듯 어슬렁거리며 안가 곳곳을 둘러보았다.

안마당과 뒤뜰, 본채 주위를 느긋하게 걷는 발걸음과 달리, 그의 눈빛은 예리하고 세밀하게 모든 것을 관찰하였다.

'상당한 실력자가 만든 진법인 것 같구나. 경계석과 정원석, 조경수 등을 기물화하여 진법을 구성하다니.'

안가를 모두 둘러본 장예추는 크게 고개를 끄덕이며 감탄하였다.

평소 사용할 일이 많지 않다고 해서 대충 만들어 놓거나 허술하게 꾸미지 않은 진법이었다. 저 성도부 화평장에 펼쳐진 진법까지는 아니더라도 한 번 발동하면 상당한 위력을 지닌 결계가 완성될 것 같았다.

'칠칠은 사십구, 모두 마흔아홉 개의 기물이 있어야 하는데…… 내가 찾은 건 마흔여덟 개뿐이다. 역시 중심이 되어서 기문을 열고 닫아야 하는 으뜸 기물이 보이지 않는다.'

장예추는 그렇게 속으로 중얼거리며 다시 한번 주위를 둘러보았다.

'혜혜의 말을 따르자면 수두가 자리 잡아야 할 방위는

기문진의 성격이나 역할에 따라서 달라진다고 했다. 지금처럼 방어를 목표로 하고 은신과 보호를 중점으로 하는 기문진이라면, 으뜸이 되고 중심을 잡아 주는 정중앙이야말로 수두가 있어야 할 자리.'

장예추는 마흔여덟 개 기물들의 위치를 다시 한번 살펴보았다.

언뜻 보면 어지럽고 두서없이 자리 잡은 듯 보이는 기물들이었지만, 좀 더 자세히 보면 적절한 배열과 완벽한 조화로 구성되어 있음을 알 수 있었다.

'일곱 개의 기물들로 구성된 작은 기문진이 네 개, 그리고 네 개의 작은 기문진을 에워싸는 스무 개의 기물들…… 그것들의 중심이 되는 자리라면…….'

장예추의 시선이 본채 지붕으로 향했다. 지금 이 안가에 펼쳐진 기문진의 중심이 바로 그곳이었다.

장예추는 곧바로 훌쩍 몸을 날려 지붕 위로 뛰어올랐다.

일순 그의 눈빛이 반짝였다. 지붕 중앙의 용마루 양쪽을 장식하고 있는 취두(鷲頭) 중 하나의 모습이 보이지 않았다.

'지금 제자리에 없는 취두가 으뜸 기물이로구나.'

장예추는 지붕 곳곳을 둘러보며 취두를 찾았다. 취두는 곧 매 머리 모양을 한 장식품이었는데, 지붕 어디에도 그런 모양의 장식품은 보이지 않았다.

장예추는 살짝 난감한 표정을 짓다가 다시 훌쩍 몸을 날려 마당으로 뛰어내렸다. 오를 때와 마찬가지로 그가 내려선 바닥에는 먼지 한 점 피어오르지 않았다.

장예추는 문을 열고 객청으로 들어섰다. 객청 탁자에 앉아서 유 노대와 두런두런 대화를 나누던 화군악이 그를 돌아보며 물었다.

"어떻게 되었어?"

장예추는 마루를 가로질러 가며 말했다.

"취두를 찾아야 해."

"취두?"

화군악의 눈이 휘둥그레졌다.

"취두는 왜?"

장예추는 아무런 대꾸 없이 객청 이곳저곳을 둘러보았다. 크고 작은 장식품들이 객청의 선반, 장식장 등등에 진열되어 있었다.

세심하게 그 장식품들을 일일이 살피던 장예추의 걸음이 한순간 멈췄다. 장예추는 저도 모르게 피식 실소를 흘리면서 중얼거렸다.

"정말 재미있네, 황계 사람들."

구석진 자리에 있는 선반. 그 위에는 삼족오(三足烏)의 조각상이 우아한 자태로 진열되어 있었다.

언뜻 보면 그저 평범한 삼족오의 형상이었지만, 자세히 들여다보면 그 삼족오의 머리가 까마귀가 아닌 매의 형상을 하고 있다는 걸 알아차릴 수 있었다.

장예추는 망설이지 않고 삼족오의 머리를 돌려 뺐다. 떼어 낸 머리는 확실히 취두의 형상을 하고 있었다.

"그게 뭐야?"

어느새 장예추의 옆으로 다가온 화군악에 고개를 들이밀며 물었다.

"잠들어 있는 진법을 발동시키는 열쇠."

장예추는 그렇게 대답하면서 밖으로 걸어 나갔다. 화군악이 호기심을 참지 못하고 그 뒤를 따라 나왔다.

마당으로 나온 장예추는 다시 지붕으로 몸을 날렸다. 화군악도 소리 없이 뒤를 따라 지붕으로 날아올랐다.

장예추는 용마루 한쪽으로 걸어가 텅 비어 있는 자리를 확인한 후, 객청 선반에서 가지고 온 취두를 꽂아 넣었다.

취두가 찰칵, 하는 소리와 함께 용마루에 꽂혔다.

우웅!

그 순간 취두에서 시작된 희미한 공기의 파장이 물결처럼 사방으로 퍼져 나갔다.

장예추나 화군악처럼 절정에 이른 고수들만이 감지할 수 있을 정도로 매우 희미하고 미세한 파장. 그 파장은 안가 전체를 뒤엎는가 싶더니 순식간에 사라졌다.

"응? 이게 전부야? 끝난 거야?"

두 손을 쥐고 흥미진진하게 상황을 지켜보던 화군악은 어처구니가 없다는 듯 물었다. 장예추는 주변을 둘러보면서 만족스럽다는 듯 미소를 지으며 고개를 끄덕였다.

"응. 이게 전부야. 이게 끝이고."

"에이, 달라진 게 없는데?"

"그럼 한 번 대문 밖으로 나갔다가 다시 들어와 봐."

"뭐 그런다고 별반 다를 게 있을까?"

화군악은 미심쩍은 기색을 떠올리며 훌쩍 허공을 날아 마당 저편으로 내려섰다.

그는 혹시 모를 암기나 기관장치가 발동할까 의심스럽다는 듯이 주위를 살피면서 천천히 대문을 향해 걸어갔다.

끼이익.

대문이 열리고 화군악이 밖으로 나갔다. 그가 다시 들어오려고 할 때, 아직도 지붕 위에 우뚝 서 있던 장예추가 입을 열었다.

"문을 닫은 다음 다시 열고 들어와."

"귀찮게도 하네."

화군악은 투덜거리면서 대문을 닫았다. 그리고 다섯을 헤아릴 때까지 기다렸다가 문을 열었다.

그는 조심스러운 눈빛으로 대문 안, 마당 쪽을 두리번거렸다.

역시 별다른 변화가 없었다. 마당은 그대로였고, 본채 또한 평소의 모습이었다. 진법이 펼쳐졌다고는 하지만 너무나 평온하고 한적한 공간이었다.

화군악은 조심스레 발을 내디뎠다.

한 걸음, 다시 한 걸음. 그렇게 마당 중앙 지점에 다다른 후에야 비로소 화군악은 긴장을 풀고 피식 웃으며 거침없이 걷기 시작했다.

"예추, 네가 실패한 거라고. 어디에고 진법이 펼쳐진…… 어이쿠, 놀래라!"

화군악은 갑자기 땅이 꺼지고 절벽이 앞을 가로막는 바람에 화들짝 놀라며 뒤로 물러섰다.

심장이 입 밖으로 튀어나올 정도로 놀란 화군악은 이내 안도의 한숨을 내쉬고는 짜증스레 투덜거렸다.

"젠장, 하필이면 딱 긴장을 풀었을 때 진법이 발동되는 건 또 뭐람?"

그는 투덜거리며 주위를 둘러보았다.

어느새 본채와 마당이 사라졌다. 앞으로는 깎아지른 듯한 절벽이었고, 좌우로는 희뿌연 안개로 가득 차서 손을 뻗으면 제 손조차 보이지 않을 지경이었다.

심지어 자신이 지금 본채 쪽으로 서 있는 건지 제대로

방향조차 잡기 어려웠다.

"고약하네."

화군악은 고개를 끄덕이며 인정했다.

이게 다 환각이고 환상임을 알고 있지만, 그래도 너무나 뚜렷하고 현실적인 풍경인지라 쉽게 움직일 수가 없었다.

땅은 꺼지지 않았고 벼랑 저편은 여전히 마당 한가운데일 터였다. 아무렇지 않게 발을 내디디면 되는데 그게 마음대로 되지 않았다.

눈을 감아서 주변의 풍경에 현혹되지 않으면 괜찮지 않을까 싶었지만 그것도 무리였다. 눈을 감자마자 갑자기 북풍한설처럼 매섭고 강력한 바람이 휘몰아치기 시작했다. 몸을 가눌 수도 없을 정도의 강풍이었다.

그 강풍을 뚫고 걷는다?

물론 이성은 그렇게 하라고 하는데 화군악의 감정이 허락하지 않았다. 도저히 쉽게 발이 떨어지지 않았다.

그게 진법의 환각이 보여 주는 위력이었다. 거짓인 줄 아는 사람마저 진실처럼 느끼게 만드는 환상.

화군악은 문득 십여 년 전의 기억을 떠올렸다.

화군악이 아니라 소독아였던 시절, 그때 그는 아래향, 종리군과 함께 황계의 안가에 머문 적이 있었다. 당시 그 안가에서 소독아는 야래향으로부터 무공을 배웠고 종리군과 함께 시간을 보냈다.

'그때 종리 노대가 뭐라고 했지?'

종리 노대(老大), 종리천은 종리군의 할아버지로 사안호로(蛇眼狐老)라는 별호를 지닌 황계 무한 지부의 지부주였다.

당시 종리천은 어린 소독아에게 안가에 설치되어 있던 진법을 파훼하는 방법에 대해 설명해 준 바 있었다.

화군악은 인상을 찡그린 채 기억을 더듬다가 마침내 머릿속 저 안쪽 깊숙한 곳에 잠들어 있던 종리 노대의 목소리를 깨울 수 있었다.

—일곱 걸음마다 이어지는 휴문(休門)을 밟으면서 나아가다 보면 생문(生門)이 열릴 것이다. 가장 중요한 건 첫 번째 걸음이고 그 뒤로 이어지는 걸음걸이이니, 내 걸음을 잘 보도록 해라.

화군악은 종리 노대의 목소리에 따라 발길을 옮기기 시작했다.

뒤로 세 걸음, 우측으로 두 걸음을 움직여 첫 번째 휴문을 찾은 다음, 북두칠성의 별자리처럼 일곱 걸음을 걸어 두 번째 휴문에 당도했다.

"오호라."

지붕 위에 머물러 있던 장예추가 그 광경을 지켜보며 감탄했다. 지금 화군악의 움직임은 칠성진을 파훼하는 확실한 발걸음이었다.

"배운 적이 없다더니 순 거짓말쟁이라니까."

장예추가 쓴웃음을 흘리며 중얼거릴 때, 어느덧 화군악은 휴문들을 지나 생문에 이르렀다.

그 순간 화군악은 사방을 가로막고 있던 안개가 씻은 듯이 사라지고 바로 본채 문 앞에 서 있는 자신을 발견할 수가 있었다.

화군악은 고개를 쳐들어 장예추를 올려다보며 씨익 웃었다. 내 실력이 어떠냐, 하는 미소였다.

장예추도 씨익 웃었다. 봐 줄 만은 하구나, 하는 듯한 웃음이었다.

2. 화군악이라고 아시오?

"재미있어."

그는 오 층 난간에 양팔을 기댄 채 미소를 지으며 중얼거렸다.

"정말 강호는 재미있는 곳이라니까. 이러니까 잡아먹을 맛이 있는 거지."

그는 느긋한 표정으로 악양부 거리를 내려다보았다.

금해가의 오 층 누각(樓閣)은 장대하기도 장대하거니와 무엇보다 일반 건물들의 칠 층 높이와 비슷해서, 그곳에서 내려다보는 악양부의 풍광은 실로 일품이라 할 수 있었다.

그리고 악양부 성내를 벗어나 멀리 동정호까지 보이는 조망 또한 이곳 오 층 누각에서 감상할 수 있는 풍광 중의 하나였다.

"여기 계셨네요?"

아름다운 여인이 그가 머물러 있는 오 층 양대(陽臺)로 걸어 나왔다.

그는 이내 활짝 웃으며 그녀를 반겼다.

"초 소저가 이곳까지 무슨 일이시오?"

여인, 초운혜도 방긋 웃으며 사내, 장백두의 곁에 다가왔다.

"식사를 하신 후 보이지 않아서 궁금했거든요. 어디 가셨나 했는데 예서 풍광을 감상하고 계실 줄은 전혀 몰랐어요."

"하하하. 설마 잔뜩 의기소침, 풀 죽은 채로 어딘가에 몰래 숨어서 혼자 울고 있을 거라고 생각한 건 아니겠지요?"

"물론이죠. 저의 장 대가는 이깟 일로 의기소침하실 분이 아니거든요."

"하하하, 역시 내가 청혼한 여인답게 나를 잘 아는구려."

장백두가 두 팔을 벌리자, 초운혜가 다소곳이 그의 품에 안겼다. 장백두는 그녀의 어깨를 다독이며 말했다.

"걱정 마시오. 그대의 남자는 이보다 더한 수모, 수치, 좌절을 겪고서 예까지 올라온 사람이오. 이 정도 일로 기가 죽을 사람이 어찌 금해가의 금지옥엽을 탐낼 수가 있겠소?"

초운혜는 걱정스럽다는 투로 말했다.

"그래도…… 저 운룡신창 양 노태사나 홍염철검 마 노태사들마저 뭔가 기가 꺾인 듯한 모습을 보이셔서……."

장백두는 살짝 입술을 깨물었다가 다시 호탕한 어조로 말했다.

"그분들과 나는 다르오. 또 그분들이 가지고 있지 않은 걸 나는 가지고 있다오. 그분들이 할 수 없는 일을 나는 할 수 있다오. 그러니 그대는 너무 염려하지 말고 돌아가 혼례 준비에 차질이 없도록 해 주시오. 그건 또 내가 할 수 없는 일이니 말이오."

"그렇게까지 말씀하시니 한결 마음이 놓이네요."

초운혜는 장백두의 품에서 벗어나며 방긋 웃었다.

"그럼 저는 이만."

"아, 그런데 말이오."

장백두는 그녀를 배웅하려다가 문득 생각났다는 듯이 질문을 던졌다.

"혹시 화군악이라고 아시오?"

일순 초운혜의 눈빛이 크게 흔들렸다.

'화군악!'

그녀는 중심을 잃고 비틀거리는 몸을 순간적으로 양대 난간에 기대며 태연한 척했다. 때마침 불어온 한 줄기 바람이 그녀의 젖은 머리카락을 쓸어 올렸다.

듣지 못했다. 알지 못했다. 화군악이 이곳 악양부에 나타났다는 이야기를, 저 무정검왕을 쓰러뜨린 자들 중의 한 명이 화군악이었다는 사실을.

사실 무정검왕이 쓰러진 일은 극비였고, 그날 있었던 일 역시 금해가 가주 초일방을 비롯한 몇몇 사람들만이 공유했다. 그런 까닭에 심지어 초일방의 손녀인 초운혜마저 미처 그 사실을 전혀 알지 못하고 있었다.

초운혜는 두근거리는 가슴을 애써 진정시키며 차분한 어조로 물었다.

"화군악이라니요?"

담담하게 보이려고 노력했다. 평온한 것처럼, 아무것도 아니라는 것처럼 이야기하려고 했다.

하지만 떨리는 입술 사이로 흘러나오는 그녀의 목소리

는 살짝 갈라져 있었고, 난간을 잡고 있는 손은 여전히 부들부들 떨리고 있었다.

그나마 다행이라면 장백두가 다시 악양부 거리로 시선을 돌린 까닭에 그녀의 새하얗게 질린 얼굴을 알아차리지 못했다는 점이었다.

장백두는 성내 거리를 오가는 행인들을 내려다보며 말했다.

"그 다섯 명의 흉적 중 한 명의 이름이 화군악이라고 하더이다. 양 노태사께서는 수년 전 그가 이곳 악양부에서 횡포를 일삼았고, 그 뒤를 쫓다가 광천노군이 목숨을 잃으셨다고 하셨소."

그의 이야기를 듣는 동안 초운혜는 내심 안도의 한숨을 내쉬었다.

'나와의 관계는 전혀 모르고 있구나.'

그렇다면 굳이 떨 이유가 없었다. 괜히 도둑이 제 발 저리는 것 같은 행동을 보일 필요가 없었다.

초운혜는 길고 가늘게 호흡을 내쉬면서 마음을 가라앉히고 진정했다. 그리고 조금 전과 확실히 달라진, 차분한 어조로 말했다.

"그러고 보니 들은 기억이 나네요. 그때는 제가 너무 어려서 무슨 일이 있었는지 잘 몰랐지만, 어쨌든 화군악이라는 자로 악양부 전체가 들썩거렸던 게 지금도 선명해요."

"흠, 그렇구려. 그러니까 그가 무슨 일로 쫓겼는지 그대는 전혀 모른다는 것이오?"

"죄송해요. 바깥일에는 그리 관심이 없었던 때라……."

"하하하, 아니오. 죄송할 게 어디 있겠소? 하기야 방년(芳年)의 처자가 흉흉한 무림 일에 관심을 두는 것 자체가 이상하니까 말이오."

"그런데 다섯 흉적 중의 한 명이라면…… 혹시 선상에서 만났던 그들 중 한 명이었나요?"

"아, 그렇지. 그대도 만난 적이 있었소. 왜, 원숭이처럼 생긴 중년인 말이오."

"아……."

"안 그래도 그때부터 수상쩍고 의심스럽다 싶었는데, 아닌 게 아니라 그게 화군악이라는 자가 변장한 모습이었던 것이오."

"그랬군요."

초운혜는 크게 고개를 끄덕이며 눈빛을 반짝였다. 그러고는 이내 방긋 웃으며 말했다.

"그럼 저는 이만 내려갈게요. 대가 말씀대로 혼인 준비를 계속 해야 하니까요."

"그렇게 하시오. 나는 조금 더 바람을 쐬고 가리다."

초운혜는 살짝 고개를 숙이고는 양대를 벗어나 아래층

으로 내려갔다. 계단을 따라 내려가는 그녀의 두 발이 후들거렸다.

결국 그녀는 계단 난간을 잡고 잠시 몸과 마음을 추스른 후, 냉랭한 표정을 지으며 속으로 중얼거렸다.

'군악, 드디어 네놈이 내 앞에 나타났구나.'

그녀는 이를 악물었다.

얼마나 기다렸던 기회인가. 드디어 놈을 잡아 죽일 기회가 생긴 것이다.

이 순간을 위해 지난 수년 동안 발톱을 숨기고 수풀 속에 몸을 감춘 호랑이처럼 때를 노리고 있던 그녀였다.

'왕 노야가 지금 어디 있더라?'

초운혜는 눈빛을 반짝였다.

증오와 복수심으로 가득 찬 살기가 그녀의 아름다운 두 눈에서 서리서리 뻗어 나왔다.

그녀는 서둘러 계단을 내려오기 시작했다.

* * *

"흠, 역시 뭔가 있나 보군."

장백두는 피식 웃으며 중얼거렸다.

"그렇게 눈빛이 흔들리고 목소리도 떨면서도 아무것도 모른 척 내숭을 떨다니. 그렇게 내가 만만하다고 생각했다면 그야말로 날 전혀 모르는 게다, 운혜."

장백두는 느긋하게 몸을 돌려 난간에 등을 기댔다. 초운혜가 빠르게 계단을 내려가는 소리가 들려왔다. 장백두의 입가에 매달린 미소가 왠지 메마르게 보였다.

"내가 화군악이라는 이름을 말한 순간 호흡이 가빠지고 심장 박동이 급격해지더군. 거짓말을 하려면 그것부터 숨겼어야지."

장백두는 초운혜가 거짓말을 하고 있다는 사실을 이미 알고 있었다. 그럼에도 불구하고 그는 태연하게, 그녀가 거짓말을 하는 모습을 웃는 낯으로 지켜보고 있었던 것이다.

"흠, 군악이라는 자와 무슨 관계가 있었는지 한번 알아보는 것도 나쁘지 않겠다."

설령 초운혜와 화군악이 연인 관계였다고 하더라도 마음 상할 장백두는 아니었다. 외려 초운혜와 금해가를 압박할 비장의 패 한 장을 얻었다고 기뻐할 일이었으니까.

"아버님이 잘 받아 보셨으려나?"

장백두는 며칠 전 형문파 장문인이자, 자신의 부친인 추담검객 장자일에게 서신을 보냈다.

형문파의 절정 고수들이 필요하다면서, 최대한 빠른 시일 내에 그들을 악양부로 보내 달라고 요청하는 전갈이었다.

"형문오공(荊門五公), 그분들이 오신다면……."

장백두의 입가에서 미소가 사라졌다. 그의 눈빛도 호랑이의 그것처럼 형형하게 빛났다. 살벌한 기세가 그의 전신을 휘감았다.

방금까지 웃고 유쾌하게 떠들던 모습은 온데간데없이 사라졌다.

대신 강호 무림을 노리고 천하를 집어삼키려는 야망과 야욕을 지닌 사내의 모습만이 그 자리에 남아 있었다.

3. 한 사람의 목숨을 훔쳐 오세요

식객(食客) 또는 문객(門客)은 전국시대부터 널리 퍼져 있던 풍습 중의 하나였다.

지방 호족이나 귀족, 재력가들이 재능 있는 사람들을 자신의 손님으로 맞이하여 숙식을 제공하고 용돈까지 주면서 우대하는 한편, 그렇게 식객이나 문객이 된 이들은 그 주인 된 자를 위해 자신의 재능을 바치고 심지어 목숨까지 내놓기도 했다.

저 유명한 제(齊)나라 맹상군이 자신의 식객들의 도움을 받아 여러 위기를 넘기고 목숨을 구원받은 이야기는 실로 너무나도 유명한 일화라고 할 수 있었다.

금해가는 다른 사대가문에 비해 절정 고수들의 숫자가 확연히 부족했다.

애초 금해가가 세워질 때부터 상가(商家)를 표방했고, 이후 지금껏 대륙의 모든 상권을 지배하기 위해 전력을 기울이고 있었으니 어쩌면 당연한 일이라 할 수 있었다.

물론 그 와중에도 불쑥 무공의 천재가 튀어나오기도 했으니, 초일방의 사촌 동생이었던 천격패도 초악이 바로 그러했다.

사실 초악이 살아 있었을 때만 하더라도 금해가는 상권과 무력 모두를 지배하겠다는 원대한 야망을 품었다. 그 정도로 초악은 뛰어났고 훌륭했으며 탁월한 인물이었다.

하지만 금해가의 원대한 야망을 이루기도 전에 초악은 야래향과 유령신마 갈천노에 의해 결국 목숨을 잃었고, 이후 금해가는 더욱 상권에 주력하게 되었다.

그렇다고 해서 금해가가 무력을 외면한 건 아니었다. 강호 무림에서 버티고 살아남고 인정받을 수 있는 유일한 힘은 돈이 아니라 무력이었으니까.

은 그다음이었다. 무력이 없는 돈은 뭇 늑대와 여우들의 좋은 먹잇감에 지나지 않았다.

금해가가 식객들을 대우한 건 바로 그 이유에서였다. 맹상군이 온갖 재주꾼들을 불러 모아 먹여 주고 재워 준 덕분에 훗날 목숨을 구할 수 있었던 것처럼, 금해가 또한 뛰어난 재주나 무위를 지니고 있음에도 불구하고 인맥이 없어서 혹은 사문이 형편없어서 혹은 반골 기질이 있어서 더 큰 명성을 얻지 못하는 고수들을 초빙했다.

처음에는 그렇게 고수들이나 온갖 재주를 지닌 자들을 초빙하는 일도 쉽지 않았다.

무엇보다 무공이 절정에 이르렀거나 혹은 천하에 둘도 없는 재주를 지녔음에도 불구하고 여태 무명인 자들부터 귀했다. 또 애당초 반골 기질을 가진 독불장군들이 오대가문의 하나인 금해가의 초빙을 받아들일 리가 없었다.

그러나 초일방은 누구보다도 인내심이 강했으며 집요했고 끈질긴 인물이었다.

그는 무림인이기 이전에 장사꾼이었다. 장사꾼은 어지간한 일에 자존심 상해 하지 않고 마음의 상처를 받지 않고 스스로를 철저하게 낮출 줄도 알았으며, 이득을 얻기 위해서는 몇 달, 몇 년을 기다릴 줄도 알았다.

오만불손하고 거칠지만, 한편으로는 단순하다면 단순할 수 있는 무림인들은 초일방의 지극한 정성에 감읍하여 식객으로 들어오기도 했다.

나름대로 머리를 굴리는 자들은 홀로 강호를 돌아다니는 것과 금해가의 식객이 되는 쪽의 손익을 따져 금해가로 들어왔으며, 조금이나마 야망이 있던 자들은 금해가와 초일방이 그려 준 자신의 미래를 보고 그의 식객이 되기를 자처했다.

그렇게 백여 명의 무림인들이 십수 년에 걸쳐 금해가의 식객이 되었다. 물론 모든 자들이 한 번 식객으로 들어와서 끝까지 남은 건 아니었다.

금해가가 마음에 들지 않아서 나간 이도 있었고, 혹은 식객들끼리 싸워서 나간 이도 있었다. 그리고 몇몇 이들은 금해가 측에서 도저히 막아 줄 수 없는 사건과 사고를 일으켜 퇴출당하기도 했다.

세월이 흐르고 어느 정도 식객이 자리 잡게 되면서 초일방은 그들의 서열을 정리하여 상위 백팔 명의 식객을 두고 따로 백팔숙객(百八宿客)이라 칭하며 더욱 융숭하고 지극한 대접을 해 주었다.

백팔숙객에 들어가지 못한 식객 중에는 줄 세우기에 반대하면서 제 발로 금해가를 나가는 자들도 몇몇 있었지만, 외려 대부분 호승심을 불태우며 그 백팔숙객이라는 칭호 안으로 들어가기 위해 노력하였다. 그게 무림인의 어쩔 수 없는 생리이고 본능이었으니까.

평소 왕 노야로 불리는 노인은 오륙 년 전 금해가로 들어오자마자 백팔숙객의 한자리를 차지한 인물이었다.

그는 무공도 무공이거니와 무엇보다 탁월한 지혜와 노회한 경륜, 그리고 뛰어난 손재주를 지닌 배수(扒手), 즉 소매치기였다.

그것도 거의 일 갑자 동안 소매치기를 해 왔음에도 불구하고 단 한 번도 발각된 적이 없는, 지금 금해가에서도 초일방과 초운혜만이 그 사실을 알고 있을 정도의 신출귀몰한 실력을 지닌 자였다.

왕 노야의 이름은 왕윤(王允), 별호는 천수불타(千手佛陀)였다. 대체로 '천 개의 손'이라는 별명은 쾌검, 쾌수(快手)처럼 손이 무척 빠르고 날랜 자들에게 붙이는 별호였다.

거기에 늘 인자하고 온화하며 품성이 뛰어나서 붙여진 별명이 부처, 불타(佛陀)일 정도였으니, 이 왕윤이라는 자가 얼마나 처신이 뛰어난지 알 수 있는 대목이었다.

오 층 양대에서 내려온 초운혜가 찾아갔을 때, 왕윤은 햇빛 좋은 자리에 앉아서 한참 불상을 조각하던 참이었다. 손바닥보다 조금 큰 나무 불상이었는데, 천수불타라는 별호답게 매우 세밀하고 정교하게 깎아 내려가는 중이었다.

"무슨 일이냐, 예까지 오고?"

왕윤은 돌아보지도 않은 채 묻자, 초운혜가 달콤하게 웃으며 등 뒤로부터 그를 껴안으며 소곤거렸다.

"내가 왕 노야를 보러 오는데 꼭 무슨 일이 있어야 하나요?"

어찌 보면 사이좋은 조손(祖孫)의 모습 같기도 하고,

또 어찌 보면 나이 차를 훌쩍 뛰어넘은 연인처럼 보이기도 했다.

왕윤은 낮은 어조로 말했다.

"남들이 볼라."

"보면 어떤데요? 설마 왕 노야가 한밤중에 몰래 내 방으로 들어와 속곳을 훔치려고 한 걸 알아차리기라도 할까요?"

"허험, 허험."

"또 속곳을 훔치려다가 내 몸에 음욕을 느껴 더듬거리다가 그만 내게 걸린 사실을 과연 그들이 알아차릴까요?"

"커흠, 허험."

왕윤은 민망한 듯 연거푸 헛기침을 했다.

바로 그게 이 금해가에서 초일방을 제외하고 오로지 초운혜만이 왕윤의 정체를 알게 된 이유였다.

"벌써 삼 년 전의 일이네요, 그것도."

초운혜는 주름투성이 왕윤의 목덜미에 부드럽게 입을 맞추며 다정하게 말했다.

"그날부터 시작해서 우리 몇 번이나 동침했을까요?"

"허험. 지나간 이야기는 하지 말자꾸나."

"그게 왜 지나간 이야기인가요?"

"그야…… 이제 너는 정혼자가 있지 않느냐? 그리고 나도 너무 늙어서 네 그 왕성한 성욕을 감당할 수 없게 되었으니까 말이다."

"아, 그래서 지난 일 년간 내 방을 찾지 않은 거예요? 어린 처녀의 가슴에 불을 질러 놓고요?"

"아니, 말은 바로 하자꾸나. 당시 너는 처녀도 아니었거니와 무엇보다 나보다 네가 더 정사를 즐기지 않았더냐? 기껏해야 한 번이면 족한 나를 밤새도록 들들 볶은 게……."

"흑흑, 이제 볼 장 다 봤다는 거네요. 내 속살이 천하에서 가장 맛있다면서 물고 빨고 할 때는 언제고……."

초운혜는 우는 시늉을 하며 애닯게 말했다. 왕윤은 길게 한숨을 내쉬며 고개를 설레설레 저었다.

'허어, 이것 참. 그놈의 몹쓸 버릇 때문에 말년에 이게 무슨 일이더냐?'

벌써 오십 년 가까이 되다 보니, 여인의 속곳을 모으는 건 쉽게 버리기 힘든 취미였다.

그날도 약 반년 동안 취미 생활을 끊다가 결국 더 이상 참지 못하고 담을 넘어 초운혜의 방으로 숨어 들어갔다. 담을 넘는 일이나 잠자는 여인의 몸에서 속곳을 벗겨 내는 일은 코털을 뽑는 일보다 더 쉽고 간단했다.

하지만 초운혜의 그 아름답고 탱탱하며 늘씬한 허벅지와, 그 사이의 깊은 밀림에서 살짝 반짝이는 이슬을 본 순간 왕윤은 취미 이상의 것을 원하게 되었던 것이다.

'코털을 뽑다가 코에 염증이 생겨 죽은 자도 있다던가?'

왕윤은 저도 모르게 초운혜의 아랫도리를 더듬었고, 그 손길을 느낀 초운혜가 잠에서 깼다.

왕윤은 그녀가 소리를 지를까 두려웠으나 초운혜는 그렇게 행동하지 않았다. 마치 기다렸다는 듯이 몸을 비틀면서 농익은 신음을 흘리며 두 팔을 벌렸다. 그걸 마다하면 더 이상 사내가 아닌 것이다.

사실 초운혜는 화군악에 의해 정사의 쾌락을 익히 알고 있었다. 그녀의 성감대는 개발되어 있었고, 그녀의 몸은 언제든지 사내를 받아들일 수 있도록 활짝 열려 있었다.

그런데 화군악과 종리군이 사라진 후 수년 동안 단 한 번의 정사도 갖지 못한 그녀는 오로지 손과 도구로 성적 욕구를 충족해야 했다.

하지만 그것도 하루 이틀이었다. 그녀에게는 살아 있는 심장처럼 벌떡벌떡 뛰는 놈이 필요했다.

그렇게 욕구불만의 상태가 지속되고 있을 때 때마침 왕윤이 나타났고, 그날 이후 왕윤은 초운혜의 욕구불만을 해결해 주는 도구로 전락했다.

"왕 노야의 손, 내 아랫도리에서만 빠르지 않다고 했죠?"

초운혜는 달콤한 어조로 물었다.

왕윤이 손가락으로 그녀의 아랫도리 깊숙한 곳을 애무

하면서 했던 말이었다.

-내가 왜 천수불타라는 별호가 생겼는지 아느냐? 손이 천 개나 달린 것처럼 빠르고 현란하기 때문이다.

초운혜는 왕윤의 손가락으로 절정을 맛본 후, 축 늘어진 목소리로 물었다.

"그 빠르고 현란한 손놀림은 여자의 아랫도리에만 해당되는 건가요?"

왕윤은 미끈하고 끈적거리는 점액으로 범벅이 된 손가락을 닦으며 웃었다.

"허허. 그럴 리가 있겠느냐? 원래 내 손의 주된 용도는 이거란다."

왕윤이 손을 내밀자 초운혜의 눈이 휘둥그레졌다. 언제 뺐는지 왕윤의 손바닥에는 그녀의 비취 귀걸이가 놓여 있었다.

초운혜는 눈을 동그랗게 뜨며 물었다.

"도둑이었어요?"

"도둑이라니."

왕윤은 귀걸이를 초운혜에게 돌려주며 웃었다.

"도둑과는 궤가 다르지. 나는 천하에 둘도 없는 소매치기니까. 이런 조그만 물건부터 시작해서 심지어는 목숨까지, 절대 들키지 않고 훔칠 수 있는 명인(名人)이란다."

"목숨까지요?"

"그래. 심지어 나보다 몇 배는 강한 자들의 목숨도 훔쳤지. 쥐도 새도 모르게 말이야."

왕윤은 빙긋 웃으며 말을 이었다.

"좀 더 솔직하게 말하자면 한때 그 바닥에서는 최고였던, 그러니 지금은 은퇴하고 여생을 임자와 함께 보내고 싶은 전직 살수라고나 할까."

왕윤은 그렇게 말하면서 다시 초운혜의 벌거벗은 몸 위로 자신의 늙고 추레한 몸을 겹쳤다.

"부탁이 있어요."

초운혜는 왕윤의 등에서 물러나며 말했다. 왕윤은 그제야 안도의 한숨을 내쉬었다.

다행인지 불행인지 지금 이곳에는 그들을 제외하고는 아무도 없었다. 왕윤과 함께 별채에 기거하는 다른 숙객들은 금해가의 지시에 악양부 곳곳을 쏘다니는 중이었으니까.

하지만 낮말은 새가 듣고 밤말은 쥐가 듣는 법, 둘이 이렇게 마냥 부둥켜안고 있다 보면 들킬 확률이 높아질 수밖에 없었고, 행여 들키기라도 한다면 아무리 왕윤이라 하더라도 초일방의 분노에서 살아남을 수 없을 테니까.

"무슨 부탁인데?"

왕윤은 다시 부처상을 조각하며 물었다. 초운혜는 낮은 목소리로, 마치 연인에게 소곤대듯 말했다.

"한 사람의 목숨을 훔쳐 오세요, 탈명배수(奪命扒手)."

탈명배수.

사람의 목숨을 훔치는 소매치기.

왕윤의 진짜 별호이자, 살수의 세계에서 전설로 전해져 내려오는 별명이 바로 탈명배수였다.

왕윤의 손이 멈췄다. 그제야 비로소 그는 고개를 돌려 초운혜를 쳐다보았다.

초운혜는 웃고 있었다.

하지만 왕윤은 저도 모르게 온몸을 떨었다. 등줄기에 소름이 파고들었다. 왕윤의 평생 동안 그렇게 지독하고 악랄하며 살기 가득 찬 미소는 처음 보았던 것이다.

초운혜는 웃으며 속살거렸다.

"화군악이라는 자의 목숨을요."

(무림오적 36권에서 계속)